Zzzzz

Mi bebé duerme bien

Zzzzz
Mi bebé duerme bien

Marcel Rufo
Christine Schilte

LAROUSSE

EDICIÓN ORIGINAL

Dirección
Stephen Bateman

Dirección editorial
Pierre-Jean Furet

Responsable de edición
Caroline Rolland

Coordinación de redacción
Nelly Benoit

EDICIÓN ESPAÑOLA

Dirección editorial
Jordi Induráin Pons

Edición
M. Àngels Casanovas Freixas

Edición gráfica
Eva Zamora Bernuz

Traducción
Vicky Santolaria Malo

Corrección
M. Àngels Olivera Cabezón

Maquetación
dos més dos, edicions

Cubierta
Mònica Campdepadrós

Fotografías
Age Fotostock (pp. 15, 24, 45, 49, 61, 64, 75, 79, 81, 83, 85, 90, 92), Age Fotostock/Arco Images (p. 62), Age Fotostock/Austrophoto (p. 55), Age Fotostock/Bilderbox (p. 65), Age Fotostock/Iconos (p. 22), Age Fotostock/Pictorium (p. 87), Age Fotostock/Picture Partners (pp. 30, 35), Age Fotostock/Science Photo Library (pp. 23, 37), LatinStock/Baby Stock (p. 19), LatinStock/BSIP (p. 93), LatinStock/Masterfile (pp. 12, 18, 27, 29, 33, 46, 51, 57, 70), LatinStock/Photononstop (pp. 17, 39, 73, 78), LatinStock/Self Photo Agency (p. 72).

© 2004 Hachette Livre
© 2009 LAROUSSE EDITORIAL, S.L.
1.ª edición: 2008
1.ª reimpresión: 2009
Mallorca 45, 3.ª planta - 08029 Barcelona
Tel.: 93 241 35 05 – Fax: 93 241 35 07
larousse@larousse.es - www.larousse.es

ISBN: 978-84-8016-824-3
Depósito legal: NA-603-2009
Impresión: Gráficas Estella, S.A.
Impreso en España – Printed in Spain

Prólogo

El sueño es la causa que genera más consultas de psicología infantil. Proceden de padres inquietos que quieren saber por qué su bebé se despierta en mitad de la noche y llora. Temen que su hijo esté triste y que esa sea la única manera que tiene de expresar su malestar. Naturalmente, aquellos que son primerizos se preguntan de inmediato por sus aptitudes. ¿Han hecho todo lo posible para satisfacer las necesidades del bebé? ¿Son buenos padres?

Todos los progenitores están convencidos de que el niño que no duerme bien por la noche quiere decirles algo. Interpretan esta manifestación como una manera de comunicarse con ellos antes de balbucear sus primeras palabras. Siempre creen que el comportamiento del niño está cargado de intenciones. La situación es delicada, ya que el bebé, sensible a las emociones de cuantos lo rodean, puede creer ocupar un lugar determinante en la familia gracias a sus trastornos del sueño. A veces el niño entiende mal las reacciones afectivas de sus padres y cree que los despertares intempestivos son una manera normal de manifestarse ante ellos. Cuanto más le permitan sus progenitores expresarse mediante esos trastornos del sueño, con mayor frecuencia se despertará.

Es importante que los padres no duden de la calidad del sueño del niño. Si han seguido una serie de pautas a la hora de acostar al bebé, pueden dejar de lado sus preocupaciones, ya que el pequeño respirará profundamente y dormirá a pierna suelta en la cuna. La ansiedad no hará más que alterar el sueño tanto del niño como de los padres.

En unas semanas, el bebé forjará su ritmo de sueño. De modo que estén tranquilos. ¡Está garantizado! Cada vez que vuestro hijo se despierte, deberéis creer ciegamente que volverá a dormirse. Os aconsejo que os atengáis a este pensamiento mágico: «Ya verás, cariño, el pequeño se dormirá de nuevo y nosotros también». Estoy seguro de que el bebé percibe estas palabras.

Vivir en armonía en familia también es dormir todos juntos, cada uno en su cama, compartiendo una misma noche.

Marcel Rufo

Sumario

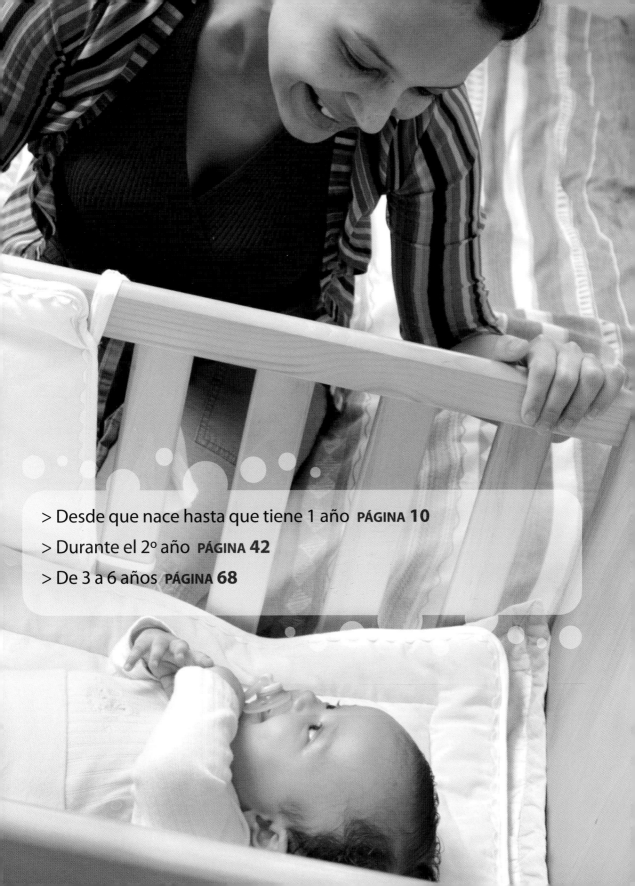

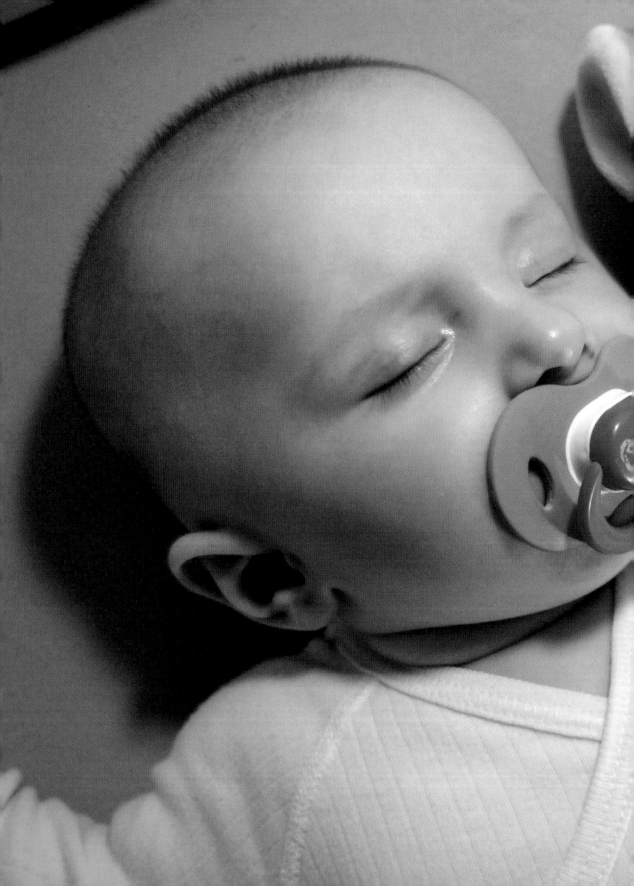

Desde que nace hasta que tiene 1 año

Hasta los 2 o 3 meses el bebé no duerme toda la noche. De modo que tened paciencia.

1 Nuestro bebé tiene un mes y desde que nació llora cada noche. ¿Es normal? ¿Qué podemos hacer?

No os preocupéis; vuestro hijo se comporta como el resto de los niños de su edad. Y es que son muy pocos los bebés que duermen toda la noche. Su reloj biológico está programado para despertarse cada tres o cuatro horas.

El llanto está provocado, básicamente, por el hambre, tanto si toma el pecho como si se alimenta con biberón. La única solución tanto para que el niño como los padres vuelvan a dormirse consiste en darle una toma y volver a acostarlo. Saciado, se sumirá de nuevo en el sueño hasta el amanecer. Hoy en día, dar una toma al bebé por la noche antes de cumplidos los 3 meses ya no se considera ceder al capricho de un niño. Al contrario, se cree necesario para el desarrollo del niño, quien adapta sus peticiones a las necesidades de su organismo. El nivel de azúcar en la sangre de un bebé debe ser siempre constante y su organismo necesita reponer las reservas regularmente.

Dejar que un niño de pocos meses llore sin que un adulto lo consuele es perjudicial tanto para el bebé como para sus progenitores, ya que el niño no dejará de llorar aunque sepa que no va a ver satisfechos sus deseos. Al final le vencerá el agotamiento y se dormirá enfadado y angustiado. Pero es muy probable que, muerto de hambre, se despierte nuevamente al poco tiempo. El hecho de no ver satisfecha una necesidad puramente fisiológica suele desencadenar un trastorno del sueño. Existe el riesgo de que el bebé asocie la angustia de no

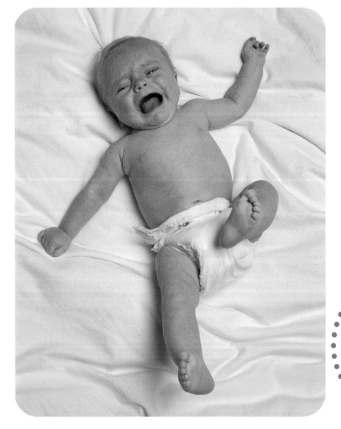

> Durante los tres primeros meses es normal que el bebé se despierte por la noche porque tiene hambre.

Si el bebé lo solicita, hay que darle el biberón de media noche hasta cumplidos los 2 meses.

recibir alimento con la oscuridad que le rodea. Cuando crezca, ya no llorará de hambre por la noche, sino de miedo, lo que alterará durante muchos meses el sueño de la familia.

Por suerte, las noches agitadas no duran eternamente. Muchos niños dejan de reclamar el biberón en mitad de la noche cumplidos los 2 meses, cuando suelen alcanzar los 5 kg. Dos elementos os servirán para saber que ha llegado ese momento: el niño ya no llorará sistemáticamente cada noche, y poco a poco será capaz de espaciar el último biberón del día y el primero de la mañana. Sin embargo, cada vez serán más frecuentes los episodios de lloros «inconsolables» y sin motivo aparente al final de la jornada. Es lo que se denomina la «ansiedad del anochecer» (ver p. 19).

UN PEQUEÑO CONSEJO

La única manera de que ambos progenitores no acaben rendidos durante esta etapa de la vida del bebé consiste en alternarse. Así, el padre puede ocuparse de darle la toma nocturna el viernes y el sábado, ya que esos días puede recuperarse levantándose más tarde o durmiendo una siesta, y la madre puede encargarse de esa tarea el resto de la semana y recuperar las horas de sueño durante el día, mientras el bebé duerme.

2 Nos sorprende lo que llega a dormir nuestro bebé. Ni siquiera logra mantenerse despierto durante la toma. ¿Cuándo podremos comunicarnos con él?

En esas fases de sueño muy ligero, vuestro bebé percibe vuestro olor, el sonido de vuestra voz y la calidez de vuestra piel. Los momentos en los que está despierto le brindan la ocasión de comunicarse y encariñarse con vosotros.

Los bebés son unos dormilones empedernidos. Las primeras semanas duermen de media unas 19 horas diarias y pasan casi sin darse cuenta de estar despiertos a dormirse. Hay que tener en cuenta que para el bebé dormir es casi una antigua costumbre, ya que mientras permanece en el útero materno duerme 20 horas diarias. Hasta finales del 7º mes de gestación, el registro de su actividad cerebral revela que el feto pasa gran parte del tiempo en fase de sueño paradójico (ver p. 101). Dicho tiempo aumenta hasta

No se debe despertar a un bebé bajo ningún pretexto mientras duerme.

el momento de su nacimiento y no disminuye hasta pasados unos meses.

Actualmente se sabe que el sueño paradójico es importante para el desarrollo de las células nerviosas cerebrales del bebé. Si este duerme tanto las primeras semanas después de nacer, se debe simplemente a la maduración de su sistema nervioso. Pero el sueño también resulta indispensable para el crecimiento físico. De hecho, su organismo en esos momentos produce la hormona de crecimiento en su grado máximo.

Si vuestro hijo se duerme durante la toma, deberíais estar encantados, ya que eso significa, en primer lugar, que está saciado, y, en segundo lugar, que ha empleado mucha energía para mamar (para un bebé, mamar constituye un verdadero esfuerzo físico y es una muestra de su enorme vitalidad); en definitiva, que se siente totalmente a salvo con vosotros y que puede relajarse. Aunque también puede que vuestro hijo sea dormilón. En realidad, a los pocos días de nacer ya se puede saber si un bebé es dormilón o si es

UN PEQUEÑO CONSEJO

A ese dormilón no le gustará nada que lo molesten, y un despertar repentino podría desencadenar el llanto. Así pues, mantenlo en brazos unos instantes, aprovecha para mirarlo, confiado, y luego ponlo cuidadosamente en la cuna. Si ha comido poco, él mismo sabrá compensar los aportes nutritivos en la próxima toma.

un niño nervioso que se despierta a la mínima. Los pequeños inmediatamente adquieren su propia personalidad a la hora de dormir. Así pues, es indispensable dejar que el recién nacido encuentre su propio ritmo y sea él quien nos muestre los momentos en los que tiene hambre y aquellos en los que prefiere dormir.

3 Nuestro bebé se mueve mucho mientras duerme. ¿Significa que está a punto de despertarse?

Cuando los padres observan cómo duerme su bebé siempre se sorprenden, sobre todo por la movilidad de su rostro, ya que hace muecas, sonríe y mueve los ojos bajo los párpados. En algunos momentos se tiene la impresión de que está sufriendo, mientras que en otros parece estar en éxtasis.

Pero también puede agitar el cuerpo, mover las manos, flexionar las piernas y llorar un poco. En realidad, el bebé se encuentra en una fase de sueño agitado o sueño paradójico, bastante ligero, y puede

despertarse unos segundos para luego dormirse nuevamente o bien despertarse completamente. Allí es donde radica la dificultad de los padres en interpretar lo que sucede, más aún cuando el niño se duerme directamente en fase de sueño paradójico. En cuanto empieza a soñar, el cuerpo se relaja, las manos se abren completamente y únicamente el rostro sigue expresando emociones y los ojos continúan moviéndose bajo los párpados cerrados. Durante un periodo de sueño de entre dos y tres horas, el bebé experimenta de dos a tres fases de sueño agitado.

Es normal que al principio de su existencia el bebé tenga alguna dificultad para encontrar su ritmo de sueño. Solo hay que darle tiempo para que se organice.

Los padres deben conocer esta particularidad del recién nacido. La proyección de sus experiencias emocionales como adultos sobre los movimientos casi reflejos del bebé provoca que en ocasiones intervengan de forma equivocada. Lo que habita en los sueños de los bebés sigue siendo un misterio. Además, hay que tener en cuenta que las condiciones del sueño del niño se ven alteradas respecto a la vida que llevaba en el útero, ya que debe acostumbrarse a dormir inmóvil y en posición horizontal, cuando en el vientre de su madre estaba acurrucado y se balanceaba al ritmo de sus pasos; también debe soportar ruidos más intensos, una luminosidad diferente y cambios de temperatura. Así pues, el bebé descubre otro entorno en el que tiene que aprender a dormir.

La mayoría de las veces, al querer reconfortar al bebé del supuesto malestar o al desear consolarlo, los padres lo despiertan, lo cual altera el ritmo normal de la alternancia del sueño paradójico con el sueño lento.

Si estos errores se repiten con demasiada frecuencia, corren el riesgo de inducir un trastorno del sueño precoz en el niño, ya que este no sabe que puede pasar de forma natural del sueño paradójico al sueño lento. Sus progenitores lo acostumbran a despertarse al final de una fase de sueño paradójico. Muchos de los trastornos del sueño que se producen en el primer año de vida tienen este origen y provocan que el niño se despierte de forma sistemática cada dos horas todas las noches.

Con todo ello, tanto los padres como el bebé acaban agotados. Entonces llora, sobre todo de cansancio, mientras que sus padres creen, una vez más de forma equivocada, que el niño se ha despertado porque tiene hambre. Pero cuando se despierte dos horas más tarde, los padres ya no sabrán qué hacer y se pasarán toda la noche paseándolo, acunándolo, hablándole, cambiándole los pañales... Eso impedirá que el agotado niño se duerma.

UN PEQUEÑO CONSEJO

Para evitar que se produzca un círculo vicioso, intentad no intervenir hasta que el bebé lleve unos minutos llorando de verdad. Es preferible esperar un poco, lo más tranquilamente posible, antes de intervenir. Si es preciso, controlad vuestros impulsos afectivos.

4 ¿Podemos dar el chupete a nuestro bebé nada más nacer para que concilie el sueño?

Mamar es innato y fundamental para el bebé. Sin esta necesidad fisiológica, no lograría alimentarse. Si no le ofrecéis una herramienta como el chupete para satisfacerlo, es muy probable que utilice su dedo pulgar. Por otra parte, es posible que ya lo haya experimentado en el útero.

Los niños africanos y asiáticos, que pasan los primeros años de vida en contacto permanente con su madre, no necesitan chuparse el dedo para hallar un poco de consuelo.

Chuparse el dedo o succionar el chupete proporciona al niño una sensación de bienestar y de placer. Algunos bebés no cogen el chupete o el dedo de inmediato, ya que el número de veces que toman el pecho o el biberón ya los satisface. Más tarde, hacia los 4 o 5 meses de vida, el cambio en la alimentación implica la reducción del número de ocasiones para succionar, momento en el que el bebé empieza a chuparse el dedo o a no desprenderse del chupete.

¿Qué es mejor: el dedo o el chupete? Cada uno tiene sus partidarios y sus detractores, de modo que decidirse por uno u otro es un asunto delicado. Aunque a la hora de dormir ambos resultan muy eficaces.

Al chupar, el bebé se calma, halla una paz interior que ha podido ser alterada por un entorno más o menos agresivo. De este modo, se aísla en su burbuja y se libra a un placer similar al de haber acabado de mamar y estar saciado de leche, en el regazo de su madre, rodeado de su calor y de su olor. Si ya no tiene hambre, si nada lo molesta, si se siente totalmente a salvo, pasa a un estado de semiconsciencia que lo empuja suavemente hacia el sueño. A menudo, el dedo o el chupete van acompañados de un trapo o de un muñeco de peluche, objetos transicionales que ayudan al niño a soportar la pena y la tristeza que le causa ver alejarse a su madre.

La única dificultad que plantea el uso del chupete es que se pierde en la oscuridad. Así, cuando el niño se sume en un sueño profundo, succiona con menos fuerza y el chupete se le cae. Acostumbrado a

UN PEQUEÑO CONSEJO

En el caso de los bebés y de los niños pequeños, la succión sigue siendo una manera extraordinaria de luchar contra una ansiedad incipiente. Tender el chupete o conducir el dedo hacia la boca son dos gestos de emergencia para acallar cualquier tipo de llanto. Al realizar esta práctica autoerótica, el niño suele quedarse como ausente. El pequeño se vuelve a centrar en sí mismo y cae en una especie de ensoñación.

 El chupete puede ayudar al bebé a dormir ya que este le proporciona una sensación placentera similar a mamar.

dormirse con él, el pequeño desea recuperarlo en cuanto atraviesa la fase de sueño ligero. Antes del año, el bebé es incapaz de desenvolverse solo, con lo

cual empieza a llorar para reclamar la ayuda de sus padres. En ese caso, el pulgar o cualquier otro dedo plantean menos problemas.

5 Al parecer, los bebés pueden padecer un síndrome respiratorio grave mientras duermen: la muerte súbita del lactante. ¿Cómo puede prevenirse?

Desde hace unos años, es posible prevenir eficazmente este tipo de síndrome, si se siguen unas sencillas pautas. Actualmente, para velar por la seguridad de nuestro bebé, debemos acostarlo boca arriba. Según los estudios científicos, esta práctica ha reducido a casi la mitad el riesgo de muerte súbita del lactante.

Las estadísticas muestran que en algunos países se ha producido una disminución entre el 60 y el 75 %

de la muerte súbita del lactante. Hay que acostar a todos los niños menores de 5 meses boca arriba.

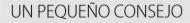

Si te despiertas inquieta en mitad de la noche, debes ir despacio a la habitación del bebé, ver cómo duerme y volver a acostarte.

Después serán ellos los que elijan la posición que más les conviene para dormir, ya que serán capaces de darse la vuelta por sí solos. Pero las recomendaciones no se limitan únicamente a eso.

También es aconsejable acostar al niño sobre un colchón duro, sin ninguna almohada ni edredón y en un dormitorio cuya temperatura no sea superior a 19 ºC. Por otro lado, es indispensable humidificar el aire. La cuna del bebé no debe instalarse cerca de una fuente de calor, ya sea un radiador en pleno invierno o una ventana orientada al sur en verano.

Para dormir es preferible que el niño lleve un sobrepijama y se le ponga en un saquito de un grosor adecuado para la estación del año. Si el bebé se mueve mucho cuando duerme, es posible inmovilizarlo en la posición correcta, boca arriba, gracias a un sistema de cojines atados entre sí con un trozo de tela. El bebé se coloca en el medio y no puede darse la vuelta.

Los bebés más pequeños deben dormir boca arriba y sin almohada para prevenir el síndrome de la muerte súbita.

UN PEQUEÑO CONSEJO

Se recomienda sacar de la cuna los muñecos de peluche grandes, los edredones, los cubrecamas acolchados y cualquier cosa que sirva para mantener unidas las sábanas y las mantas.
Es preferible que la madre evite amamantar al bebé en la cama por la noche, y durante el día es mejor no fumar en el entorno del pequeño.

Se han llevado a cabo numerosas investigaciones en todo el mundo para descubrir la causa del síndrome de la muerte súbita del lactante. Pero, de momento, solo han permitido determinar cierto número de factores que lo favorecen, pero que no son determinantes para su aparición. Entre dichos factores figuran la edad del niño (entre 1 y 5 meses, con un riesgo máximo a los 4 meses), una inadecuada regulación de sus centros respiratorio y cardiaco, un parto prematuro o complicado, el tabaquismo por parte de la madre, una vida irregular y la tendencia al reflujo gastroesofágico.

Este síndrome afecta a un bebé de cada 500. Las familias que los médicos consideran de riesgo, sobre todo aquellas que ya han sufrido este drama, recurren a la monitorización domiciliaria del bebé durante 6 meses.

6 Al final del día, aunque está visiblemente cansado, nuestro bebé no consigue conciliar el sueño y llora mucho. ¿A qué se debe?

Este comportamiento está muy extendido entre los pequeños. De repente, se retuercen, hacen muecas y agitan sus miembros alocadamente. Sus gritos revelan una sensación de malestar. Este llanto surge alrededor de la tercera semana, aumenta en la sexta y finaliza hacia la décima.

La mayoría de las veces, el llanto se produce entre las 18 y las 19 h. Incluso hay niños que lloran cada día a unas horas determinadas. Esa «ansiedad del anochecer» se manifiesta de manera diferente según los bebés, ya sea mediante un nerviosismo inusual, un carácter gruñón, un comportamiento inquieto o una pena muy grande.

El bebé llora de forma desconsolada y los padres se sienten impotentes a la hora de calmarlo. Lo primero que se ha de hacer es comprobar que nada molesta al niño y que no tiene hambre. A continuación, hay que intentar tranquilizarlo cogiéndolo en brazos. El bebé debe recostarse en el hombro, con el vientre apoyado sobre nuestro abdomen y la parte inferior del tronco bien sujeta. También se le puede colocar a horcajadas en el

antebrazo, con la cabeza apoyada en el hueco del codo y nuestra mano entre sus piernas. Una vez en

No dejes al bebé solo mientras llora. Intenta hacer que se sienta seguro; para ello, cógelo en brazos y dile que lo quieres pese a su rabieta.

esta posición, se le debe acunar mientras vamos paseando por la casa, evitando entrar en las habitaciones en las que haya demasiado ruido o demasiada luz.

Ante todo, lo que hay que transmitirle es tranquilidad. También podemos sentarlo de espaldas en nuestras rodillas. En ese caso, se le sujeta la espalda con una mano y se le pone la otra bajo sus antebrazos. Otra opción es ponernos una mochila portabebés y colocar al niño en ella.

No se conoce exactamente la causa de este episodio de llanto al final del día, y las explicaciones de los psicólogos y los pediatras se aproximan más a la suposición que al diagnóstico. Para algunos se debe a un exceso de nerviosismo debido a la cada vez mayor participación del bebé en las actividades que se desarrollan a su alrededor. A lo largo del día, el bebé ha vivido en un entorno ruidoso (ruidos domésticos, de perros, de la calle, de la radio o la televisión, voces de los vecinos), ha tenido que adaptarse

UN PEQUEÑO CONSEJO

Habladle al oído, decidle que lo entendéis y que lo queréis. Es muy probable que al cabo de 5 o 10 minutos se calme, aunque a veces ese sosiego dura tan solo unos instantes y luego el bebé se agita de nuevo. Tened paciencia y procurad no agobiaros ni poneros nerviosos. Al final, el niño acabará por tranquilizarse y dormirse profundamente.

a situaciones de separación y de reencuentro (la guardería, la canguro, etc.), ha descubierto la calle y el parque, y ha visto otras caras que no conocía. En resumen, se han producido numerosos estímulos. En un principio le resultan gratos, ya que a los bebés les gusta la novedad y el movimiento, pero, conforme va avanzando el día, a su sistema nervioso, todavía inmaduro, le cuesta más soportarlos. A través de los gritos, el bebé se libera de las tensiones físicas y psíquicas acumuladas a lo largo de todo el día.

Para otros, ese llanto produce la sensación de la insatisfacción de sus necesidades, a menos que esté relacionado con el malestar producido por tener que abandonar el día por la oscuridad de la noche. El anochecer sumiría a los niños en un estado de melancolía.

La explicación de que este llanto se deba a un cólico resulta cada vez más insostenible. De hecho, la alimentación de los niños, ya sea con leche materna o leche de inicio, no influye de ninguna manera en la ansiedad del anochecer. Además, nadie ha podido explicar por qué esos cólicos aparecerían solo en ese momento del día.

SABER +

A partir de los 4 meses el bebé encontrará ese equilibrio tan deseado y esperado por los padres. Por lo general, a esa edad el niño se muestra más tranquilo: ya no tiene cólicos, duerme más horas seguidas (entre 9 y 12 horas por la noche y unas 5 o 6 horas repartidas durante el día) y se alimenta dentro de un horario más o menos fijo (a esa edad ya hará cuatro comidas al día). Sus funciones primordiales se han estabilizado y se entra en un periodo de calma.

7 ¿Cuándo logrará nuestro bebé distinguir el día de la noche?

Hacia los 6 meses, los niños ya no confunden el día y la noche, pero el verdadero ritmo circadiano se establece hacia las 3 semanas. Se trata de un largo aprendizaje. El recién nacido tomará como referencia los acontecimientos que se producen de forma regular a lo largo del día para saber en qué momento de la jornada se encuentra.

En el útero materno nada podía hacerle pensar que hay momentos diferentes que rigen la vida de los seres humanos en sociedad, ya que el bebé se alimentaba sin darse cuenta, dormía casi todo el tiempo y solo algunos ruidos podían informarle de lo que acontecía fuera de su burbuja. Las primeras semanas después de nacer, sabe pocas cosas más. El pequeño no tiene ninguna noción del tiempo ni del espacio, vive en el presente, a merced de sus necesidades, no se anticipa a nada y no recuerda demasiado.

Hacia la cuarta semana de vida se establecen los ritmos circadianos. Al parecer, estos ritmos se rigen básicamente por una programación de orden genético, ya que no se centran solo en la alternancia de vigilia y sueño, sino también en cambios cíclicos de temperatura interna, presión arterial, secreciones hormonales y pulso cardiaco, con una aceleración en las horas de actividad y una ralentización en los momentos de reposo.

Conforme avancen las semanas y los meses, el bebé irá adquiriendo conciencia de lo que sucede a su alrededor. Observará y podrá expresar rápidamente lo que siente con sus gritos, ya sea alegría o pesadumbre. Se da cuenta de que su tiempo viene marcado regularmente por las tomas y es capaz de preverlas unos instantes antes. Muy pronto aprovecha estos momentos para comunicarse con su madre, para jugar a mirarse, a tocarse, a intercambiar sonidos.

Conciliar el sueño pasa a ser menos imperioso, menos básico, y los estímulos del entorno, cada vez más atrayentes, aceleran su maduración cerebral. Su vida es totalmente rítmica. Sucede con las tomas, pero también con el baño, los paseos, el momento de ir a la guardería o de que llegue la canguro, así como con la

UN PEQUEÑO CONSEJO

Es importante mostrarle indicios que marquen el día y la noche. Así pues, conviene que durante el día duerma en una habitación iluminada con luz natural y que por la noche lo haga en la oscuridad. Poco a poco también entenderá que las actividades sociales se desarrollan durante el día y que se descansa por la noche, nociones que asimilará de forma natural conforme aumente el número de horas seguidas que duerme sin despertarse: 8 horas a los 4 meses y de 10 a 12 horas a los 6 meses (el bebé cada vez dormirá menos durante el día).

Si el bebé tiene problemas para conciliar el sueño, seguir un mismo ritual cada día puede ayudarle.

vuelta a casa. El final del día también viene marcado por una especie de ritual, ya que la luz es diferente y dejan de oírse ruidos. El bebé experimenta la oscuridad. Sus padres le imponen un horario social y familiar, y cuanto más regular es dicho horario, más fácil le resulta al niño tomar puntos de referencia.

8 ¿Qué podemos hacer para que nuestro bebé concilie el sueño fácilmente?

En la fase de adormecimiento está en juego todo o casi todo. Así pues, es importante establecer un ritual a la hora de acostar al bebé ya en sus primeros meses de vida. Poco a poco, el pequeño irá conociendo todas las etapas del ceremonial que lo conduce al adormecimiento.

El ritual suele comenzar por el baño al final de la tarde. El agua caliente provoca cierto estado de relajación en el bebé, que luego «cena» un biberón o el pecho con el pijama puesto. Unos mimitos más y ha llegado la hora de acostarse. El cambio de pañal y la introducción en el saquito de dormir han de hacerse en una habitación con poca luz y con gestos suaves.

Los estudios realizados sobre el sueño han revelado que el reloj interno del ser humano está regulado por un tiempo de 25 horas. El bebé se rige igualmente por esta norma biológica y únicamente la vida en sociedad lo obligará a adaptarse al día de 24 horas. Así les sucede a todos los bebés del mundo.

UN PEQUEÑO CONSEJO

Ofreced al niño su peluche favorito, tararead una canción, dadle un beso en la frente y alejaros de puntillas. Si el niño llora, no cedáis y habladle desde lejos para que sepa que no está solo, porque lo que más teme es la separación de aquellos que lo quieren.

Cuanta más tranquilidad y dulzura sienta el niño en los momentos previos a la hora de acostarse, con mayor facilidad se dormirá. De hecho, los juegos, las cosquillas y el jaleo le provocarán un estado de excitación y de nerviosismo que el pequeño no podrá calmar con facilidad, aunque esté cansado y tenga ganas de dormir. Antes de expresarse con palabras, el bebé muestra su cansancio y sus ganas de dormir a través de su cuerpo. Deja de jugar, se encoge en la silla, tiene la mirada perdida, bosteza de vez en cuando y más que llorar, gime.

El niño dormirá mejor cuantas más experiencias haya vivido durante el día, sobre todo si lo han sacado de paseo y después, cuando ya camine, si ha estado jugando al aire libre.

Podéis hacer algunas cosas para ayudar a vuestro hijo a conciliar el sueño, pero tendréis que evitar otras si vosotros también queréis dormir. Por ejemplo, no durmáis al niño paseándolo en brazos ni en el cochecito, ni tampoco en vuestra cama. Si el bebé se acostumbra a estos rituales, le resultarán indispensables para dormirse o recuperar el sueño a cualquier hora de la noche. Agotados, no os quedará otra elección que enseñar a vuestro bebé a que se duerma solo.

La hora de dormir debe ser un momento tranquilo. Si el bebé nota el nerviosismo de sus padres, tendrá problemas para dormir.

9 ¿Influye la dentición en la calidad del sueño de nuestro bebé?

Actualmente, la dentición del bebé se considera dolorosa. En realidad, la inflamación de la mucosa gingival, provocada por la erupción del diente a través de la carne, provoca una sensación de dolor.

El niño siente el dolor especialmente cuando está tumbado, ya que en esa postura la presión sanguínea es más intensa y, por tanto, potencia el dolor. Si levantamos ligeramente el colchón de la cama del pequeño, lograremos mitigar ligeramente el dolor.

Por otro lado, no existe ningún motivo para no aliviar el dolor de un bebé con paracetamol e ibuprofeno en la dosis adecuada y alternándolos. Si el niño llora mucho, el medicamento se puede combinar con un tratamiento local medicamentoso o a base de aceites esenciales en forma de masaje (que ya por sí mismos tienen propiedades calmantes).

UN PEQUEÑO CONSEJO

En ocasiones, la dentición va acompañada de un pequeño resfriado, que dificulta la respiración del niño mientras duerme. Antes de acostar al pequeño podéis descongestionarle las fosas nasales con la ayuda de un sacamocos, pero sin abusar de él.

La dentición suele provocar un eritema glúteo doloroso debido a unas heces líquidas más ácidas que de costumbre. Para acabar con dicho eritema será suficiente con cambiarle el pañal con frecuencia, aplicarle cuidados locales a base de eosina y una pomada específica.

Hay que tener en cuenta que el malestar del niño, como la aparición de los primeros dientes, repercute en su sueño.

Los aceites de tomillo, orégano y ajedrea poseen una eficacia reconocida, al igual que el gel de caléndula (preparado en farmacias). La homeopatía constituye otra solución a este problema. El homeópata os indicará cuántos gránulos de *Chamonilla* debe tomar vuestro hijo.

10 Nuestro bebé de 5 meses todavía no duerme toda la noche de un tirón. ¿Qué podemos hacer?

Es hora de enseñarle a dormir solo en su habitación y rodeado del silencio nocturno. Los niños de más de 4 meses ya no necesitan comer en mitad de la noche. Si el bebé se despierta y no puede conciliar nuevamente el sueño sin un biberón es porque considera que lo necesita para dormirse otra vez.

> Los niños que no han aprendido a conciliar el sueño solos pueden sufrir trastornos hasta los 6 o 7 años.

Si no lo sacáis del error, poco a poco dejará de distinguir entre la sensación de hambre y de sueño. La técnica para conciliar el sueño es sencilla, pero un tanto agotadora, aunque debe aplicarse durante muy poco tiempo, apenas dos o tres noches.

A la hora de acostar al pequeño, se ha de comprobar que se cumplen todas las condiciones para que concilie el sueño. Después hay que dejar que se duerma y que concilie el sueño él solo toda la noche. Seguramente la primera noche llorará mucho, pero la segunda llorará menos y la tercera apenas emitirá algún gruñido. Lo más importante es controlarse.

Si al cabo de unas noches el llanto no ha cesado y estáis muy agobiados, no entréis en su habitación. Habladle suavemente desde detrás de la puerta, decidle que no está solo, pero que es hora de dormir, tanto él como vosotros. Si es superior a vuestras fuerzas, acercaros a su cuna, pero no lo cojáis en brazos. Acariciadle la frente y las manos, habladle cariñosamente y animadle a que se duerma de nuevo.

Este método solo resultará efectivo si ambos progenitores están convencidos de su legitimidad. No debe existir ninguna tensión ni contradicción entre ambos. La calma de los padres siempre tranquiliza al bebé. Para algunos padres esta decisión se convierte en un pequeño problema, pero deben tener en cuenta que, tanto el descanso del niño como el suyo, repercute en la vida familiar; la falta de sueño nos hace irascibles y eso se refleja en la comunicación con el bebé.

UN PEQUEÑO CONSEJO

Mantened la calma. Tenéis que estar convencidos de que conseguiréis enseñarle a dormir, aunque eso os exija mucho esfuerzo y vuestro hijo necesite varias noches para lograrlo. Las noches futuras de los tres dependen de ello. ¡Así es que vale la pena intentarlo!

11 Nuestro bebé todavía no ha cumplido un año. ¿Qué puede alterarle el sueño?

El sueño del niño, al igual que el del adulto, es sensible a ciertos agentes externos, especialmente al ruido. No hace falta que sean ruidos muy intensos, sino más bien inusuales. Las circunstancias del adormecimiento también tienen mucha importancia.

No se ha de despertar nunca a un niño con el pretexto de que no ha comido. Lo más importante para él es dormir. Ya comerá más en la siguiente comida.

Un bebé que se duerme en brazos de su madre o en el sofá, arrullado por el ruido de la televisión, corre el riesgo de sentirse totalmente desorientado al despertarse en mitad de la noche entre dos fases del sueño. El pequeño ya no encontrará las condiciones que lo habían conducido al sueño y las reclamará de forma natural. Hay que tener cuidado también con la sobreestimulación a lo largo del día, ya que el bebé que recibe demasiados estímulos está cansado, incluso exhausto, y tarda mucho en encontrar la tranquilidad propicia para que se manifieste el sueño.

Las tensiones familiares o la tristeza también pueden alterar el sueño del niño. De hecho, el pequeño siente que sus padres se ocupan de él de forma inusual, le hablan menos, apenas le sonríen y casi no lo cogen en brazos. En resumen, el bebé, aunque sea muy pequeño, percibe que hay algo diferente, pero como no puede comprender el motivo, se siente menos seguro, está más ansioso y puede sufrir trastornos del sueño.

Algunos cambios en la vida cotidiana del niño también pueden provocar que duerma mal. Por ejemplo, las vacaciones que alteran las costumbres de toda la familia y modifican el entorno, o la ausencia de los padres un fin de semana, aunque quienes se queden con él sean los abuelos, a quienes, por otro lado, conoce perfectamente.

El niño también puede encontrarse bajo los efectos de alguna sustancia excitante. Así, si sus

SABER +

El hecho de que un niño duerma más de lo que es habitual en él debe alertar a sus padres. En este caso será conveniente observar su sueño, ver si respira de forma regular y silenciosa y comprobar si tiene fiebre. Es posible que esté incubando una enfermedad. Si no es el caso, habrá que observar su comportamiento cuando se halle despierto: si juega menos que antes o si parece triste. Hablar con las personas que cuidan de él durante el día puede proporcionar una pista sobre el motivo de su malestar.

No es aconsejable dormir al bebé en brazos, aunque si está nervioso debemos intentar tranquilizarlo antes de acostarlo.

progenitores fuman, el bebé se convierte en fumador pasivo e inhala gran cantidad de nicotina. Y si sigue tomando el pecho, el consumo de café, té o alcohol por parte de la madre aportará a su organismo las mismas sustancias, pero en mayores dosis debido a su peso.

Por último, algunos niños sufren alteraciones en el ritmo del sueño debido a las obligaciones laborales de sus padres. Se les despierta, por ejemplo, en mitad de una fase del sueño porque hay que llevarlos a la guardería.

Por lo general, se habla de forma abusiva de los trastornos del sueño en el niño, pero se trata más bien de trastornos del despertar.

Debido a su organización neurológica, los bebés están especialmente dotados para despertarse. La mayoría de ellos se despiertan y vuelven a dormirse tranquilamente sin que sus padres lo adviertan. Pero algunos niños manifiestan su deseo de contacto a través de los gritos. Necesitan que sus padres los tranquilicen, pero desde cierta distancia.

UN PEQUEÑO CONSEJO

La tranquilidad y la confianza de los padres proporcionan al bebé una sensación de seguridad adecuada para adormecerse. Así pues, nos os abalancéis sobre él en cuanto empiece a gritar o a gruñir, ya que el niño debe aprender a dormirse nuevamente solo.

12 ¿Podemos dejar solo a un bebé que esté durmiendo?

Cuando el bebé ha aprendido «a dormir toda la noche», a los padres puede resultarles tentador dejarlo solo unas horas para disfrutar de un rato de ocio o simplemente ir a comprar a la vuelta de la esquina. El problema es que no se puede confiar en el sueño del pequeño.

El sueño no siempre tiene la misma intensidad. Durante las primeras semanas de vida, se divide en fases de 40 minutos con una fase de semivigilia entre ellas. Además, un bebé puede sufrir una indigestión, tener un pequeño ataque de hambre o ser molestado por un ruido procedente de la calle. En resumen, es posible que se despierte.

Hasta los 6 meses, los bebés pueden acompañar a sus padres a casa de unos amigos. Para que no se encuentren muy desubicados, conviene llevarse el portabebés y algunos de sus juguetes favoritos.

UN PEQUEÑO CONSEJO

Es mejor llevarse al bebé consigo, ya sea en el cochecito o en un portabebés. Así podrá seguir durmiendo donde vayáis. Si consideráis que vais a estar fuera muchas horas, lo mejor es dejar al pequeño en la guardería o al cuidado de un familiar si es de día o con la canguro si vais a salir de noche. Dejad a vuestro hijo con alguien de confianza; de esa forma podréis cumplir con vuestras obligaciones sin preocuparos y sin que el sueño del bebé se vea alterado.

Por lo general, el bebé llora para pedir ayuda a sus padres, sobre todo si se encuentra con una dificultad que no puede sortear solo. Desconocedor de la ausencia de sus padres, no entiende por qué estos no responden a su llanto. Siente entonces una gran angustia, se pone nervioso, cada vez tiene más calor y el sudor cubre su rostro y empapa su cuerpo.

A los gritos y la agitación de sus miembros se unen una aceleración del corazón y una dilatación de los vasos sanguíneos. El organismo sufre grandes pérdidas. Los espasmos van en aumento y su angustia es cada vez mayor. A ello hay que añadir el riesgo de sufrir deshidratación.

Siempre que se pueda deben planearse las salidas de forma que interfieran lo menos posible en las horas de descanso del bebé, pero siempre es preferible interrumpirlo a dejarlo solo.

13 ¿Cómo podemos adaptar el ritmo del sueño de nuestro bebé a nuestras obligaciones laborales?

Algunos padres deben llevar al pequeño a la guardería antes de irse a trabajar y lo que más les cuesta a veces es tener que despertar al bebé tan temprano. La mejor solución es intentar averiguar a qué hora hay que acostarlo para que, llegada la hora, se despierte solo.

El reloj interno del bebé hace que se despierte siempre más o menos a la misma hora, después de 9 o 10 ciclos de sueño de aproximadamente una hora de duración. El tiempo de sueño reparador oscila entre 8 y 12 horas, según los niños. El periodo de baja por maternidad puede aprovecharse para establecer el horario. Sin embargo, si tenéis que despertarlo, esperad a que haya finalizado una fase de sueño, ya que así el despertar será más fácil. Acariciadle las manos, dadle besos, ponedle una música suave, al principio baja, para después ir subiendo el volumen poco a poco.

Jugad con la luz solar o la luz eléctrica si aún es de noche. Aumentad la luminosidad de la habitación de forma progresiva hasta que reine en ella la claridad. Esperad a que esté totalmente despierto para cogerlo en brazos.

Actualmente, las guarderías disponen de unas libretas en las que los padres y el personal intercambian información sobre, por ejemplo, la siesta del bebé.

En las guarderías y el primer año de preescolar se respeta la siesta de los niños.

Las dificultades no acaban ahí. ¿Cómo organizar el tiempo de descanso del niño para que pueda gozar de la vida familiar al final del día? La única solución es jugar con el tiempo de siesta por la mañana y por la tarde si queréis que duerma las horas diarias necesarias para su edad. Así pues, tendréis que explicárselo a la persona que cuide del niño para que procure que este duerma una siesta de 2 horas y media a 3 horas de duración. De este modo, vuestro hijo podrá interactuar perfectamente con vosotros al final del día y vosotros podréis retrasar la hora de acostarlo para que duerma desde las 10 hasta las 8 horas.

14 ¿Puede influir la cena en el sueño de nuestro bebé?

Se suele creer que los bebés duermen toda la noche en cuanto cenan algo más consistente, sobre todo cuando, hacia los 5 meses, toman un biberón al que se le añaden cereales en polvo. Pero, en realidad, no se trata más que de una feliz coincidencia.

De hecho, a esa edad, la madurez cerebral del niño le permite dormir de 8 a 10 horas seguidas. Además, por regla general, el pequeño también ha aprendido a dormir toda la noche, y es capaz de dormirse solo nuevamente. Sin embargo, una dosis equivocada en la recomposición de la leche infantil o una cantidad superior a la recomendada pueden provocar cólicos y, en consecuencia, trastornos del sueño. Por lo general, cualquier régimen alimenticio desequilibrado altera el sueño del niño.

¿Come lo suficiente o come demasiado? ¿Su llanto está relacionado con el régimen alimenticio que sigue?

No olvidéis que en verano es posible que el bebé tenga sed por la noche, por lo que deberéis atender a sus ruegos.

Estas son algunas de las preguntas que se formulan muchos padres. Si el niño toma el pecho, él mismo regula los aportes nutricionales y, con el tiempo, la leche materna se modifica para satisfacer plenamente sus necesidades. La alimentación con biberón sigue una pauta muy sencilla: la ración diaria de leche es directamente proporcional al peso del niño.

En ambos casos, la mejor referencia sigue siendo la curva de peso. El hecho de que se registre una curva demasiado baja y que el bebé llore suele ser un indicio de que está hambriento. No obstante, también hay niños que reclaman alimento a todas horas, noche y día. Existen dos posibles razones para que tengan este comportamiento: o bien no han descubierto la sensación de saciedad o bien sus padres no han sabido responder a su llanto de otra manera, excepto dándoles de comer.

Por último, existe un caso especial, el de los niños alérgicos a la proteína de la leche de vaca. A las manifestaciones digestivas, cutáneas o respiratorias se añaden un sueño especialmente agitado y un sudor abundante una vez dormidos.

UN PEQUEÑO CONSEJO

El trastorno que sufren estos niños es doble: únicamente superan el malestar comiendo y no logran dormir el tiempo suficiente para recuperarse del cansancio. Se recomienda respetar la cantidad de alimento diaria para evitar el riesgo de sobrepeso y luchar contra los trastornos del sueño.

La intolerancia al gluten, que suele desarrollarse al final del primer año de vida, también puede alterar el sueño. Una dieta adaptada permitirá que todos estos niños puedan dormir tranquilos otra vez.

15 ¿Es mejor que nuestro bebé duerma con nosotros o en su propia habitación?

Existe un verdadero debate entre los especialistas. Algunos están a favor de poner la cuna en la habitación de los padres, al menos los primeros meses. Aseguran que es más práctico para los progenitores y más tranquilizador para los pequeños, que aprecian su presencia. Pero otros especialistas están en contra de esta solución.

Quienes se muestran en contra alegan como argumentos los inconvenientes que plantea la presencia de la cuna en la habitación de los padres: no es la mejor manera de que un niño aprenda a

adquirir autonomía a la hora de dormir y, aunque llegará el día en que el pequeño tendrá que aceptar dormir solo en su habitación, educarlo en ese sentido resultará especialmente difícil. En este sentido,

No cambiéis la decoración de la habitación del bebé con mucha frecuencia, ya que el niño necesita encontrar referencias para dormirse en ella con total tranquilidad.

pedirle que cambie sus costumbres no será sencillo. Además, esta práctica no preserva la intimidad de los padres, a quienes el pequeño también debe aprender a respetar.

Algunos padres se decantan por una solución intermedia: uno de ellos duerme en la habitación del bebé para ofrecerle una presencia tranquilizadora. El principal inconveniente radica en que las relaciones de la pareja se resienten por ello. ¿Qué solución adoptar entonces?

UN PEQUEÑO CONSEJO

Aunque es cierto que el niño se duerme con suma facilidad al estar con uno de los padres, se aconseja no seguir el camino fácil, ya que, de lo contrario, el pequeño no aprenderá a dormirse solo y a volver a conciliar el sueño «como las personas mayores» entre las diversas fases del sueño. Pensad, además, en que una vez haya adquirido esa costumbre, os costará mucho erradicarla.

SABER +

El colecho consiste en dejar dormir al bebé en la cama de sus padres. Se trata de una práctica poco extendida en España, aunque es habitual en otros países y en otras culturas, como en Japón. Con ello se consigue que el bebé permanezca en un entorno tranquilizador y que la madre no tenga que levantarse a media noche para amamantar a su hijo. No obstante, el colecho conlleva algunos peligros para el bebé: aumenta las posibilidades de padecer muerte súbita por ahogo o aplastamiento. Por lo general, los recién nacidos permanecen en la habitación de sus padres durante los dos o tres primeros meses, hasta que ya son capaces de dormir la noche entera o las madres se reincorporan a la vida laboral.

Si podéis disponer de una habitación para el bebé y es contigua a la vuestra, es preferible que el niño duerma en ella en cuanto llegue de la maternidad. El pequeño adoptará sus referencias. Así, el color y los efectos de la luz en las paredes, los muebles y los objetos que haya en ella le proporcionarán un gran consuelo. Poco a poco le irá gustando este lugar y sentirá que es agradable dormir allí.

En cuanto a la práctica de transformar el lecho conyugal en lecho familiar, la mayoría de los especialistas del sueño se oponen. En primer lugar consideran que es peligrosa, ya que el niño puede caerse de la cama fácilmente o ser «aplastado» por uno de sus progenitores sin darse cuenta al estar profundamente dormido.

La experiencia también demuestra que los padres, al prestar mucha atención al niño, duermen bastante mal. Esta costumbre también puede deberse a que los padres se niegan a separarse de su bebé durante la noche, lo que demuestra cierta dificultad psíquica.

16 ¿Es cierto que cuanto más activo es un bebé peor duerme?

Cada niño es único, incluso en lo que respecta a la cantidad y la calidad del sueño, de modo que existe una gran diversidad en este ámbito. Sin embargo, por regla general, los niños que duermen mucho seguirán siendo dormilones cuando crezcan, y a los niños que duermen poco les seguirá costando conciliar el sueño.

Actualmente se sabe que al nacer los niños ya tienen su propio carácter. Hay niños activos, tranquilos y medianamente activos, o medianamente tranquilos, según la visión de los padres. Estas características influyen en los ritmos del sueño. Así, a un bebé activo que reaccione con facilidad a los estímulos

le costará más hallar la paz interior necesaria para dormirse que a aquel que esté casi siempre en ese estado.

Por otro lado, los padres se comportan de manera diferente según la naturaleza de su hijo. Cuanto más le guste al pequeño que lo estimulen, más jugarán

La calidad del sueño depende de las actividades diurnas.

sus padres con él, más le hablarán y más lo tocarán, lo cual mantendrá su energía natural y dificultará que el niño concilie el sueño con facilidad.

Los niños activos suelen necesitar ayuda. Les costará menos dormirse si tras los juegos viven unos instantes de tranquilidad, acurrucados contra uno de sus progenitores y acunados al ritmo de una nana. En el caso de otros niños, lo que molesta a los padres es que se despiertan muy temprano. Acostarlos más tarde no suele servir de nada, ya que su reloj interno está regulado de ese modo.

UN PEQUEÑO CONSEJO

La solución con respecto a esos niños madrugadores consiste en un cambio de costumbres: los gritos y el llanto matutinos pueden ser sustituidos por la alegría de encontrar sus juguetes favoritos en la cama cuando se despiertan y jugar un rato con ellos. Eso sí, los niños habrán de esperar un poco para desayunar.

Un cambio en las actividades normales del bebé, como la visita de los amigos, una excursión o cualquier actividad extra, puede hacer que el niño esté más

Si cuando erais pequeños vosotros dormíais poco, no comparéis vuestras costumbres con las del bebé. Cada individuo tiene su propia personalidad, incluso en lo que respecta a la calidad del sueño.

excitado por la noche. En ese caso es importante tranquilizar al bebé antes de llevarlo a su cuna; un pequeño masaje antes de dormir le ayudará a relajarse.

17 ¿Se puede recurrir a algún medicamento para que el bebé duerma?

Estos productos deben administrarse siempre bajo prescripción médica y la toma debe realizarse durante un tiempo limitado, como máximo unos días.

Utilizar potentes depresores del sistema nervioso central en una fase fundamental del desarrollo de la inteligencia y de la personalidad no resulta inocuo. De hecho, los jarabes calmantes sumen al niño en un sueño profundo y pesado en el que no sueña. Y soñar es necesario para crecer, ya que

permite establecer la diferencia entre lo real y lo imaginario.

Algunos médicos incluso consideran que el uso abusivo de estos productos perjudica el desarrollo físico del niño y que dicho consumo explicaría el de tranquilizantes, neurolépticos e incluso estupefacientes en la edad adulta.

Los medicamentos deben administrarse única y exclusivamente cuando ninguna otra solución ha conseguido poner fin al círculo vicioso del insomnio. Antes de recurrir a este tipo de remedios debe identificarse la causa de la alteración del sueño del niño; es posible que, siguiendo una serie de recomendaciones básicas sobre rutina antes de dormir, se solucione el problema. Por desgracia, los padres suelen recurrir a menudo a los somníferos: a los 3 meses, 7 bebés de cada 100 ya han tomado tranquilizantes o jarabe para dormir, y, a los 9 meses, la proporción asciende a un 16 %. Estas cifras son las ofrecidas por los médicos y no tienen en cuenta la automedicación, sobre todo la de los jarabes contra la tos, con propiedades hipnóticas y calmantes.

Si desde niño le enseñáis a conciliar el sueño mediante la ingesta de productos químicos, ¿cómo le explicaréis cuando sea adolescente que ha de superar los agobios sin recurrir a sustancias euforizantes?

La utilización de medicamentos para ayudar al niño a dormir puede tener consecuencias en su desarrollo.

18 Nuestro hijo durmió bien hasta los 6 meses, pero desde hace unas cuantas semanas le cuesta conciliar el sueño. ¿A qué se debe?

Dormir bien no es algo que se adquiera de forma definitiva y que dure toda la infancia. Algunas etapas en el desarrollo del niño están marcadas por trastornos normales del sueño. Incluso deben considerarse algo positivo, ya que constituyen una demostración del crecimiento del pequeño.

Muchos niños a los 6 meses presentan problemas para dormirse. A esa edad tardan más en hacerlo, a veces hasta casi una hora. La explicación de este fenómeno es simple: cuanto más crece el niño, más le interesa su entorno, más consciente es de la presencia y la ausencia de sus padres, y más problemas le plantea la separación con el mundo adulto.

En cualquier proceso educativo, sobre todo en lo que respecta al sueño, los niños a los que no les gusta cumplir normas necesitan reglas para sentirse seguros psíquicamente y poder desarrollarse. Aunque a veces parezcan pesadas, las reglas acaban siendo tranquilizadoras para los niños.

UN PEQUEÑO CONSEJO

Si se producen otros episodios difíciles, es suficiente con volver a empezar. El niño simplemente trata de comprobar que los límites que se le imponen siguen siendo los mismos. Por regla general, entre los 6 meses y el año, los niños duermen un poco peor y parecen más sensibles a los cambios eventuales.

Además, su sueño se modifica. El pequeño reduce de forma natural su tiempo de sueño, sobre todo de sueño paradójico, aquel en el que se sueña. También se despierta durante la noche y emite algún pequeño grito. Si sus padres no intervienen, se vuelve a dormir de forma inmediata.

Tendréis que hacer entender a vuestro hijo que ha de aprender a dormirse solo. He aquí cómo podéis hacerlo:

• Acostadlo en las mejores condiciones y respetando el ritual establecido durante sus primeras semanas de vida.

• Dejadlo solo en la habitación.
• Si el niño llora, esperad 5 minutos antes de entrar en su cuarto.
• Pasado ese tiempo, simplemente empujad la puerta, decidle con toda tranquilidad que tiene que dormir y marcharos.
• Si sigue llorando, esperad 10 minutos antes de repetir la misma estratagema.
• Si todavía sigue llorando, aguardad 20 minutos, entrad en la habitación para ver si tiene algún problema en particular y abandonad nuevamente la estancia para volver, si fuera necesario, pasados otros 20 minutos.

Deberéis actuar de este modo el tiempo necesario hasta que se duerma solo. Esta técnica es muy antigua, reconocida y eficaz, aunque las dificultades para dormirse no sean nuevas. Los padres pueden modificar el tiempo de espera entre las diferentes intervenciones. Lo más importante es que el bebé se vaya estirando poco a poco.

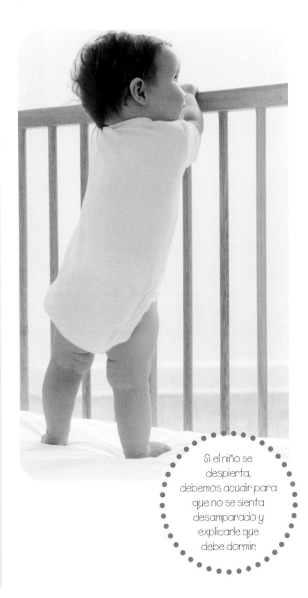

Si el niño se despierta, debemos acudir para que no se sienta desamparado y explicarle que debe dormir.

SABER +

Es posible que, a partir de los 6 meses, algunos niños que hasta entonces habían dormido bien, pasen a dormir mal. Ante todo, conviene verificar si hay alguna causa aparente: que no tenga demasiado calor o frío, que esté limpio, que no esté resfriado y tenga un exceso de mucosidades, etc. Tras realizar estas comprobaciones, los padres deberán resistirse al deseo de cogerlo o de darle algo de comer, ya que probablemente es lo que el niño está intentando. Otras causas de esta alteración en los hábitos nocturnos pueden deberse a que se haya acostado más tarde de lo que es habitual o no se haya seguido el ritual acostumbrado, a un cambio de cama, a que no haya dormido la siesta a la hora habitual... La alteración de las rutinas suele conducir también a una alteración en el ritmo del sueño.

19 ¿Cómo hacer que un niño de un año duerma bien?

En esta etapa de su desarrollo, el niño puede vivir noches agitadas y tener alguna dificultad para dormirse. La gran aventura para el pequeño a esta edad reside en el hecho de caminar, independientemente de que ya haya aprendido o esté a punto de dejar de gatear. Así pues, es un periodo de gran excitación.

A esta edad, el ejercicio físico no cansa, pero sí agita al pequeño. Así, el niño es capaz de luchar con todas sus energías contra los signos de somnolencia que percibe: ríe, llora y no para de moverse. Sus nuevas capacidades motoras le ofrecen una mayor conciencia del mundo que lo rodea y de las personas que lo habitan.

El pequeño siente una verdadera frustración a la hora de acostarse y advierte como un abandono el hecho de despertarse solo en su habitación en mitad de la noche. Por eso manifiesta su angustia durante la noche, por lo general cuatro horas después de dormirse. Llora, se pone de pie en la cuna sujetándose en los barrotes y, en muchos casos, comienza a llamar insistentemente a sus padres.

¡Ojo! La hiperactividad durante la tarde suele ser síntoma de falta de sueño.

Que el hecho de acostarse se desarrolle sin incidentes depende de lo que el niño haya «aprendido» durante su primer año de vida. Al cumplir un año, el pequeño debe saber dormirse solo e incluso irse a la cama contento. Se ha de respetar el ritual establecido cuando nació: estirado en la cuna, aunque todavía despierto, encuentra su peluche y lo abraza con alegría, mientras escucha el sonido de la voz de su madre o de su padre contándole un cuento, casi siempre el mismo.

Existen muchas posibilidades de que ponga a prueba vuestra autoridad e intente prolongar este momento. Una vez más, tendréis que hablar con él, decirle que es el último cuento o la última canción, darle un beso, darle las buenas noches y apagar la luz. Tal vez insista durante unos días, pero la firmeza de los padres acabará por desalentarlo.

UN PEQUEÑO CONSEJO

Los niños necesitan sentir la presencia de sus padres. Así pues, animadlo a que vuelva a acostarse solo, hablad con él, explicadle que queréis que se duerma y que vosotros vais a ayudarle a conseguirlo. Los niños, independientemente de su edad, suelen comprender muchas más cosas de lo que deja entrever su capacidad lingüística.

Sus problemas para conciliar el sueño suelen deberse a malas costumbres. Entre ellas, las más habituales son seguir dándole de comer por la noche, dormirlo en brazos, en el cochecito o incluso dándole un paseo en coche, o bien dejarle dormir en la cama de los padres tras sufrir una infección o una enfermedad.

Para dormir bien, el niño, si se despierta a media noche, debe poder encontrar las condiciones que lo empujaron a dormirse, y sobre todo su cama.

Así pues, muchos lloros nocturnos se deben a que el pequeño se ha dormido en un lugar y se despierta en otro, totalmente desorientado. Ceder ante un niño que no quiere acostarse y que acaba por dormirse en el sofá del salón augura noches agitadas.

Establecer una rutina a la hora de dormir supone una buena solución para algunos de los problemas más frecuentes relacionados con el sueño de los pequeños. Es importante que esta se establezca desde el principio y su objetivo es conseguir que irse a dormir se convierta en un hábito rutinario.

Si el niño no adquirió esta rutina desde pequeño puede que, al principio, le cueste un poco e incluso se resista, pero es importante que los padres se mantengan firmes y estén convencidos de que un buen descanso es, para el niño, tan importante como una buena alimentación. El irse a la cama no debe convertirse en algo traumático ni para el niño ni para los padres.

Es frecuente que el niño se resista a ir a dormir a pesar de los evidentes signos de somnolencia.

El ritmo vigilia-sueño

La alternancia vigilia-sueño evoluciona de manera rápida a lo largo del primer año. A partir de los 2 años, se asemeja a la del adulto. Pero habrá que esperar a que el niño cumpla 15 años para que su sueño pueda compararse con el del adulto. A partir del tercer mes, el 70 % de los bebés ya duermen 8 o 9 horas seguidas por la noche. A los 6 meses, el porcentaje se eleva a un 83 % y al año a un 95 %. A esta edad, la mayoría de los niños duermen toda la noche y una siesta de 2 horas de duración como media.

El ritmo vigilia-sueño se establece, en primer lugar, sobre bases fisiológicas y, conforme el niño va creciendo, sobre bases psicológicas. La sensación de seguridad predomina a lo largo de toda la infancia. Al parecer, la genética influye en las horas que duerme cada bebé.

La mayoría de los trastornos del sueño no revisten gravedad y suelen ser producto de malentendidos y de problemas educativos. Resulta ilusorio creer que los somníferos ayudan a los niños a dormir. Por regla general, estas sustancias solo aportan una solución temporal.

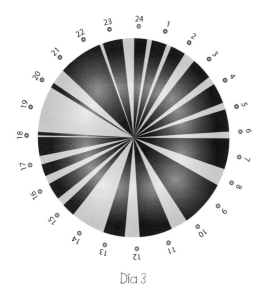

Día 3

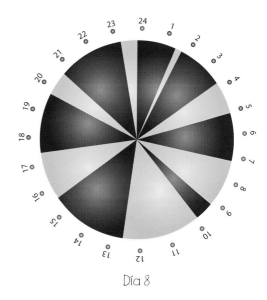

Día 8

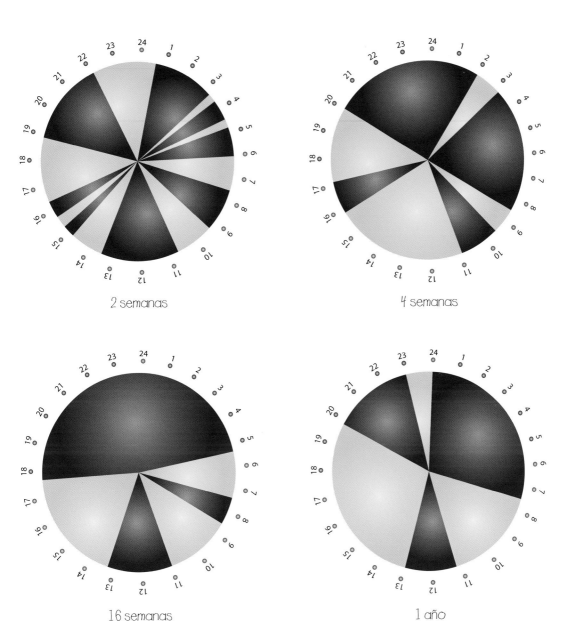

DISTRIBUCIÓN DEL SUEÑO A LO LARGO DE 24 HORAS
(según Arnold Gesell, *The Embryology of Behavior*).
El sueño aparece en lila y la vigilia, en amarillo; medianoche aparece arriba y mediodía, abajo.

Durante el 2º año

La calidad de sus actividades diurnas es directamente proporcional a la de sus noches. Un ritmo de vida estable sienta las bases para dormir bien.

20 Conforme va creciendo, nuestro hijo tiene más dificultad para conciliar el sueño. ¿A qué se debe?

El niño tarda más tiempo en dormirse. Puede pasar entre un cuarto de hora y una hora hasta que concilia el sueño. Su tono muscular tarda más en relajarse, la temperatura del cuerpo desciende más despacio y el flujo de sus pensamientos tarda más en ralentizarse.

Para ocupar ese tiempo y arañar unos minutos, empieza a pedir cosas: un vaso de agua, un poco de música, un beso, etc. Cuanto mayor se hace, más consciente es de que el sueño adquiere un nuevo sentido: tiene que separarse de sus padres.

Un despertar alegre contribuye a que el niño considere el sueño como algo agradable.

cuando su cuerpo estaba en movimiento. Es el primer ritual hacia el adormecimiento. Requiere el contacto piel con piel, la mano que lava dibuja los contornos de un cuerpo que el niño cada vez percibe más como suyo. El agua tibia, las caricias y las palabras cariñosas que suelen acompañarlas tranquilizan al niño sobre el amor de su madre o de su padre. Cuando crezca se bañará solo, aprenderá a apreciar su cuerpo y establecerá así unas buenas bases narcisistas. Para dormir toda la noche, hay que

La hora que precede al sueño reviste una importancia vital. Si se ha tratado de un tiempo dominado por la agitación física o psíquica, es probable que el niño tarde en conciliar el sueño y que la noche sea agitada, incluso una mala noche. En cambio, si el final del día ha sido tranquilo y sosegado, el sueño no será más que una continuación lógica de la relajación.

La entrada en el sueño se prepara a través del baño. El agua siempre se ha considerado el mejor elemento para ayudar al cuerpo a encontrar una verdadera sensación de bienestar. Hace surgir en el organismo una química interior, una segregación especial que confiere al cuerpo y a la mente los medios para relajarse.

Además, el baño permite una relación con el cuerpo diferente a la que el niño ha tenido durante el día,

UN PEQUEÑO CONSEJO

La atención que prestéis a la entrada de vuestro hijo en una fase particular del día condiciona en gran medida la calidad de su sueño.

Conviene que el pequeño cene tranquilo. El niño estará más sereno si cena solo en compañía de uno de sus padres, quien estará a su completa disposición.

conferir un nuevo estatus al cuerpo. Amar nuestro propio cuerpo, tener la sensación de que nos pertenece y de que constituye un todo acaba con la angustia de separación que altera el adormecimiento.

El baño va seguido de otra acción: antes de que el niño se acueste, lo vestimos con alguna prenda suave y cómoda adecuada para dejarse ir y liberarse de los excesos de energía del día. Un masaje después del baño en un ambiente tranquilo ayudará al bebé a relajarse, además de favorecer el contacto afectivo con sus padres. Si forma parte de la rutina que se establece antes acostarlo, el bebé pronto relacionará el placer del masaje con el descanso. El masaje se puede acompañar de una música suave; también es un buen momento para comunicarse con el bebé hablándole en voz baja y acariciándole. El contacto con los padres lo tranquiliza y disminuye el trauma que supone para el niño la separación nocturna.

El baño debe convertirse en un momento de relax tanto para el niño como para los padres.

Leer un libro en un ambiente tranquilo o montar un puzzle bajo una cálida luz ambiental favorecen el repliegue sobre uno mismo y una disminución de cualquier tipo de estrés. En ese caso, dirigirse hacia la habitación cuando los bostezos vayan en aumento no supondrá ninguna dificultad.

Una vez en la cuna, el niño adquirirá la postura que más cómoda le resulte para conciliar el sueño. Boca arriba o boca abajo, es indiferente, puesto que a esta edad ya no tiene importancia. Algunos optarán por hacerse un ovillo en un rincón de la cuna, mientras que otros, sorprendentemente, se dormirán de rodillas y con las nalgas levantadas. Pero no olvidéis que no existe ningún motivo para despertarlos. ¡Están durmiendo!

21 De vez en cuando el niño todavía se despierta en mitad de la noche. ¿Es normal?

En el segundo año de vida, el niño aprende nuevas cosas: motricidad cada vez más autónoma, explosión del lenguaje, inicio del control de los esfínteres, etc. Aunque durante el día el niño está sobreexcitado por todo lo que quiere aprender y dominar cada vez mejor, por la noche parece atravesar una fase regresiva.

En ese caso, suele reclamar la presencia de uno de sus progenitores, como cuando era más pequeño. No os preocupéis, esos despertares nocturnos son pasajeros y casi nunca regulares. Una vez lo hayáis tranquilizado las primeras veces que suceda, permitid que concilie el sueño de nuevo él solo. De lo contrario, precisará vuestra presencia cada noche.

Al parecer, a esta edad es relativamente

A esta edad, el niño atraviesa una fase de oposición, lo cual puede tener repercusiones en el sueño. El pequeño dice a todo que «no». Recordad en todo momento que diciendo «no» aprende a decir «sí».

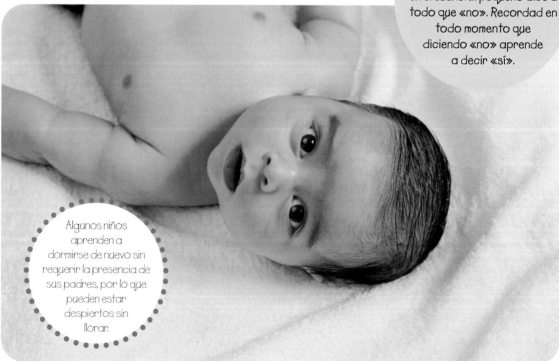

Algunos niños aprenden a dormirse de nuevo sin requerir la presencia de sus padres, por lo que pueden estar despiertos sin llorar.

frecuente despertarse en mitad de la noche. Algunos niños se despiertan pasada la media noche para luego entrar en un nuevo ciclo de sueño. Según los estudios, entre un 40 y un 60 % de los niños de 18 meses «duermen» con una interrupción nocturna, y un 20 % con varias.

Por suerte, todos estos niños no necesitan a sus padres para volver a dormirse, sino que se quedan despiertos, con los ojos abiertos de par en par, comienzan a jugar un poco con la manta o con el peluche y acaban por dormirse nuevamente. Cuando el pequeño no logra conciliar el sueño, los padres tienen que ir a verlo y tranquilizarlo. Deben volver a acostarlo, darle un beso en la frente y pedirle que se duerma de nuevo, ya que toda la casa está durmiendo. Si con esto no es suficiente, se puede

aplicar el programa de intervenciones progresivas para los bebés (ver p. 25).

UN PEQUEÑO CONSEJO

Cuando habléis, hacedlo con determinación. Vuestro hijo debe estar convencido de que os mantendréis firmes en vuestra decisión: tiene que dormir en su cama.

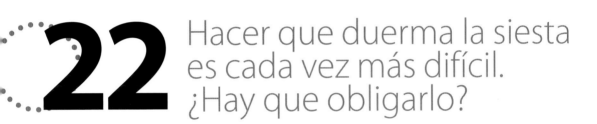

22 Hacer que duerma la siesta es cada vez más difícil. ¿Hay que obligarlo?

Durante el segundo año de vida, el niño deja de echarse una cabezadita por la mañana. En cambio, sigue necesitando dormir una buena siesta después de comer. A algunos niños les cuesta aceptar esta ruptura con el apasionante mundo que los rodea.

Curiosamente, a los niños que van a la guardería les suele costar más dormir la siesta. Cuando están dentro del parque, se sienten atraídos por todo lo que hay en él. Además, al adquirir la postura vertical, estos niños sienten predilección por agarrarse con firmeza a los barrotes para experimentar su nueva proeza. Se sujetan con fuerza y se niegan a estirarse hasta que caen rendidos de cansancio.

La especialista del sueño Jeannette Bouton ideó una sencilla técnica para ayudarlos a conciliar

el sueño: cambiamos el pañal al niño, le damos de comer y luego lo tumbamos sobre un colchón en el suelo y lo envolvemos con una sábana grande. De esta manera, el pequeño permanecerá como en una madriguera, pero sus ojos podrán percibir la luz. Una vez se ha dormido, las puericultoras le apartan la sábana suavemente de la cabeza.

En casa, la siesta es un momento para dormir que no agobia al niño en ningún momento, ya que no

UN PEQUEÑO CONSEJO

La siesta resulta muy útil si al niño le cuesta irse a dormir por la noche, ya que le impide acumular cierta falta de sueño, lo que casi siempre se manifiesta a través de una sobreexcitación, fuente de conflicto y en ocasiones incluso de castigo. Ante todo, no penséis que si no duerme la siesta dormirá mejor por la noche, ya que, por regla general, sucede lo contrario. Durante la siesta el pequeño se sume en un sueño lento y, por lo general, no sueña.

la percibe como un abandono o una separación. El pequeño sabe que a unos metros de él, en la habitación de al lado, su madre, su padre o la persona que lo cuida están ahí, atentos a cualquier señal.

A esta edad, negarse a dormir la siesta suele ser una buena manera de llevar la contraria. Los padres serán más persuasivos cuanto menos concesiones hagan a la hora de que el niño se acueste.

Además, no es de noche y la penumbra le permite distinguir lo que hay a su alrededor, lo cual lo tranquiliza. Por último, sabe que la siesta acaba siempre con alguna actividad agradable, como un paseo, un juego o la merienda. La siesta consigue que los niños afronten la tarde con más energía y estarán más receptivos a cualquier actividad que los padres quieran compartir con ellos.

23 ¿Por qué los niños necesitan un pedazo de tela o un peluche para conciliar el sueño?

Los psicólogos han bautizado este pedazo de tela o este muñeco de peluche con un nombre mucho más serio: «objeto transicional». Tiene un modo de empleo bien preciso: se chupa, a menudo asociado con el dedo o el chupete.

El niño casi siempre arrastra consigo el trapo o el peluche, pero estos desaparecen en el momento más inoportuno. El niño prácticamente no puede separarse de este objeto y esa situación puede durar años. En la mayoría de los casos se trata de algo suave impregnado de un olor familiar: el olor corporal o el perfume de la madre, cierto olor del padre, algunos

rastros olfativos de leche o de comida, o incluso del perro o del gato de la familia.

La amalgama de esos olores es lo que hace de este objeto resulte algo tan interesante. Pero también puede suceder que al niño le guste tener un peluche limpio; en ese caso, lo que aprecia es el olor al jabón utilizado para lavarlo. Por último, algunos niños se encariñan con objetos menos suaves, como su biberón o un juguete de goma.

Sea cual sea, el objeto transicional es un elemento indispensable en la vida del bebé, sobre todo cuando este debe abandonar el mundo de sus padres por el de los sueños. He aquí el porqué. Hasta los 6 meses, el niño no distingue entre él y su madre; está en total simbiosis con ella. Poco a poco empieza a ser consciente de que su madre no siempre está presente en su campo de visión, ya que de repente desaparece. A él no le gusta que se vaya, pero no puede hacer nada para evitarlo. En ese caso, le tranquiliza tener siempre a su lado un objeto familiar sobre el que ejercer su omnipotencia. Le servirá para expresar sus sentimientos.

> El trozo de tela o el peluche escogidos por el niño deben ser aceptados en todas partes para que el pequeño pueda dormirse en unas condiciones similares a las de su casa, incluso en los hospitales, donde es necesaria la asepsia.

Poco a poco, ese objeto se irá convirtiendo en algo casi tan importante como su madre. La reemplaza bastante bien cuando esta se aleja o cuando se produce alguna discrepancia entre ambos. Por último, en los momentos de cansancio o de contrariedad, le ayuda a recuperarse.

Algunos niños no son capaces de hacer nada sin llevar a cuestas su trapo o su peluche; otros, sobre todo a partir de los 8 meses, edad que marca un estadio importante en su desarrollo físico, solo recurren a ellos por la noche para dormir. Algunos niños prescinden de estos objetos inmediatamente, mientras que otros siguen encariñados con ellos hasta cumplir los 6 o 7 años. Si esa tela o ese peluche tienen tanta importancia también es porque se trata del primer objeto que crea el niño, que está más allá de él o de su madre y sobre el cual tiene todos los poderes: puede tirarlo, morderlo, estrujarlo... En resumen, hacer con él todo lo que quiere.

Por regla general, no son los padres quienes eligen el trapo o peluche de su hijo. La elección alberga cierto misterio. Por muy extraño que nos resulte el objeto elegido, debemos respetarlo. El encuentro entre el objeto y el niño tiene lugar casi siempre en la cuna, seguramente porque la separación de los suyos debido al sueño es una de las primeras angustias del niño.

UN PEQUEÑO CONSEJO

Las dos grandes dificultades a las que se enfrentan los padres con este tipo de objetos están relacionadas con su mantenimiento y su pérdida. Muchos niños se niegan a dormir sin ellos. Por eso se recomienda encarecidamente a sus progenitores disponer de varios peluches de repuesto para paliar cualquier problema.

24 Creemos que nuestro hijo, de la noche a la mañana, ha empezado a tener miedo a la oscuridad. ¿A qué puede deberse?

Es el gran clásico de los miedos infantiles. Además de la propia oscuridad, también se encuentra todo lo que el niño imagina agazapado en ella. De sobra es conocido que los bandidos, las brujas y todos los animales devoradores surgen de las tinieblas. La noche para él también significa soledad.

Aunque resulte paradójico, contarle al niño un cuento de hadas justo antes de que se duerma tiene el poder de protegerlo de las fobias, esos miedos irracionales difícilmente controlables.

Esos agobios nocturnos constituyen el origen de las pesadillas, prolongaciones deformadas de la vida diurna. El niño está tan asustado que es incapaz de distinguir entre lo real y lo imaginario. Se pueden tomar algunas precauciones para ayudar al niño a dominar su miedo a la oscuridad. Por ejemplo, podéis dejar una lamparilla encendida o simplemente dejar la puerta de su habitación abierta y la luz del pasillo, encendida.

No penséis que se va a malacostumbrar, ya que esta necesidad desaparece de manera natural con la edad. Basta con que le enseñéis que vosotros, sus padres, y todas «las personas mayores» de la casa duermen en la oscuridad. Entonces, ¿por qué no va a dormir él también, que quiere ser mayor?

Resulta, asimismo, primordial que conozca mejor su entorno nocturno, puesto que el niño se encuentra en un mundo desconocido. ¿Por qué no proponerle un paseo por la casa a oscuras y pedirle, a modo de juego, que reconozca los objetos de su habitación por el tacto? Id pasando de habitación en habitación indicándole los objetos y los seres familiares. Conducidlo junto a la ventana y enseñadle cómo duermen las otras casas, también a oscuras. Sed prudentes, ya que esta actividad únicamente resultará beneficiosa si el niño está tranquilo. Así

UN PEQUEÑO CONSEJO

Los niños siempre tratan de expresar sus miedos, sobre todo a la hora de acostarse, pero su capacidad de expresión es todavía limitada. Procurad escuchar a vuestro pequeño con atención para proporcionarle las explicaciones racionales necesarias que le ayuden a controlarse y a vencer sus miedos.

pues, proponedle participar, pero no lo obliguéis. Ya volveréis a insistir más adelante. Los miedos nocturnos están íntimamente ligados a los diurnos. El miedo a la separación es uno de los principales temores de la infancia.

Un poco más tarde aparecen los miedos a perderse y a ser abandonado, lejos del cariño de aquellos que lo quieren y a quienes quiere. Por último, cuando el niño inicia la etapa de dejar los pañales, siente temor de desaparecer. La desaparición de sus excrementos, que él considera como una parte de sí mismo, por el retrete refuerza sus miedos.

Los cuentos infantiles, en los que vencemos a los monstruos, los ogros y las brujas, les ayudan a afrontar sus miedos.

25 ¿A partir de qué edad se sueña y con qué sueñan los niños de 2 años?

Las estructuras cerebrales necesarias para la actividad onírica se desarrollan mucho antes de nacer y la mayoría de los neurólogos piensan que el feto ya sueña en el útero materno. Sueña al mismo tiempo que lo hace su madre y de este modo se transmiten los gustos y las emociones.

Existen bastantes razones para creer que las noches del bebé, por pequeño que sea, están pobladas de sueños. Es posible incluso que estas criaturas sueñen mucho más que los niños mayores que él y que los adultos.

De hecho, el niño, mientras duerme, pasa un 50 % del tiempo en sueño paradójico, aquel en el que se producen los sueños. ¿De qué se componen esos sueños? Como el sueño no puede producirse sin experiencias previas que hayan dejado rastro en la memoria, es muy probable que, al principio, los sueños de los niños estén bajo la influencia de sus experiencias sensomotrices.

Ruidos, olores, sensaciones táctiles e

Según Freud, el sueño protege a la persona mientras duerme. Organiza la vida futura del niño. Sus primeros sueños demuestran que posee una vida psíquica más allá de sus padres. El sueño permite una autonomía psicológica.

La pérdida en sueños de su peluche favorito revela el miedo que tiene el niño de perder a su madre o la autonomía que tanto le costó adquirir.

imágenes son completados mediante las imposiciones del entorno, como separaciones y adaptaciones de todo tipo. Los sueños surgen a partir del recuerdo reciente de satisfacciones experimentadas y de sensaciones interiores ligadas a las zonas erógenas.

Los especialistas del sueño opinan que los primeros sueños con imágenes aparecen hacia los 15 o 18 meses. A esa edad, el niño es capaz de reconocer su simbolismo. Hacia los 2 años, con la adquisición del lenguaje, algunos niños se atreven incluso a narrar sus sueños, aunque esos relatos, por lo general, resultan bastante confusos.

SABER +

Algunos especialistas creen que los bebés son capaces de soñar dentro del útero materno a partir, aproximadamente, de la semana 28 de gestación. En el recién nacido es más fácil detectar ciertas señales que nos pueden indicar que el bebé está soñando: mueve los ojos, hace muecas o emite algún sonido mientras está profundamente dormido. En el caso de los más pequeños, el 60 % de sus horas de sueño pertenecen a la llamada fase REM, la menos profunda, pero la más activa en cuanto a los sueños.

Nada es más personal que el sueño, esclavo de las experiencias cotidianas y del entorno afectivo. Sin embargo, al igual que sucede en el adulto, y seguramente de manera más clara, los sueños infantiles están repletos de deseos, satisfechos o no, de la vida diurna. Al parecer, dos grandes temas pueblan sus noches: la comida y el miedo al abandono.

Los sueños relacionados con la comida suelen estar ligados a una privación, mientras que los sueños de abandono suelen ser la consecuencia de las sensaciones afectivas vividas durante ese día. Al contrario que los primeros sueños, estos son básicamente angustiosos. Manifiestan a su manera la ambigüedad de la actitud del niño, dividido entre la búsqueda de la autonomía y el temor de tener que enfrentarse solo a ciertos peligros.

Otro tema bastante angustioso para el niño de esta edad es la pérdida, en sueños, de un objeto que aprecie mucho, como el peluche que duerme con él en la cuna o su juguete favorito. Cuando crece, el niño siempre atraviesa un periodo en el que el sueño se torna inquietante. El miedo a algo o alguien, el miedo a un ruido y, naturalmente, a ser abandonado pueden originar ciertos sueños. A esa edad, este tipo de sueños prepara la organización de lo que más tarde serán las fobias, de carácter psicológico. El miedo a la oscuridad, al bosque o al vacío será controlado poco a poco.

A partir de los 2 años, algunos niños son capaces de hablar de los sueños o de inventarse una historia, que suele expresar un deseo frustrado. Conforme van creciendo, los niños sueñan historias más complicadas, que corresponden a deseos inconscientes, ocultos tras algo que ha sucedido el día anterior, a imagen y semejanza de los sueños de los adultos. Hasta los 4 años, aproximadamente, los sueños no son mucho más ricos. El sueño permite traspasar las fronteras de la realidad y ofrece un espacio en el que, al contrario que en la vida cotidiana, todo está permitido, aunque sea ilógico o esté prohibido.

26 Nuestro hijo se inventa una nueva excusa cada día para no irse a dormir y lleva así varias semanas. ¿A qué se debe?

Como el niño no quiere abandonar a los suyos para irse a la cama, inventa estrategias que le permitan ganar tiempo, e incluso tal vez lograr que sus padres cambien de opinión para permanecer durante más tiempo despierto con ellos.

Aunque accede a acostarse sin resistirse demasiado, instantes después el niño se pone de pie en la cuna para pedir algo. A veces incluso logra salir de ella y viene hacia nosotros para pedírnoslo. Y la situación cada vez va a más. El niño utiliza prácticamente cualquier argumento que se le pasa por la cabeza. Estas peticiones estrambóticas, que cualquier padre reconoce como artimañas, se confunden con necesidades que pueden ser reales: tiene sed, quiere ir al baño, le molesta el pijama, quiere que le demos un último beso, etc.

En esta fase, los padres pueden adelantarse al niño satisfaciendo algunas de sus necesidades incluso antes de acostarlo. Después no tendrán ningún motivo para ceder a sus peticiones.

Sus exigencias serán cada vez más molestas. Hacia los 2 años y medio, el niño establece un verdadero ritual que puede empezar mucho antes de acostarlo. Todas las noches, independientemente de las circunstancias que se produzcan, tendrá que dar las buenas noches a todo el mundo, tanto a las personas como a los animales, ordenar sus juguetes, escuchar siempre la misma historia, ver sus dibujos

> Al negarse a acostarse, el niño de 2 años expresa alto y claro su oposición a las normas establecidas. De esta manera se afirma como individuo dotado de carácter y personalidad.

animados favoritos, etc. ¡Y habrá que respetar el orden de todos estos caprichos, ya que, de lo contrario, habrá que empezar nuevamente de cero! Este ritual de antojos es para él en realidad la manera más segura de protegerse. Al mostrar estas actitudes diariamente, el niño domina los miedos más arcaicos.

UN PEQUEÑO CONSEJO

Para no sentiros desbordados por las exigencias del niño, es preferible que no le dejéis establecer muchos ritos y que le neguéis las peticiones que sean demasiado extravagantes. Cuando consideréis que el enredo ya ha durado lo suficiente, decídselo claramente, acostadlo y no respondáis a sus llamadas.

27 ¿Influye el entorno de la habitación en el sueño del niño?

Mientras que la cuna casi nunca plantea problemas, la cama con barrotes, en ocasiones, constituye una etapa delicada. De hecho, el niño deja de estar en un nido mullido para pasar a un espacio en el que duerme y juega, más aún cuando dispone de un centro de actividades, una caja de música y unos cuantos peluches.

Si la cama es un lugar pensado para despertar la curiosidad del niño, le costará mucho conciliar el sueño. Así pues, es preferible que los juguetes se limiten a unos cuantos peluches, entre los cuales el pequeño tal vez elija su favorito. Estar encerrado tras unos barrotes también puede convertirse inmediatamente en algo insoportable cuando se ha adquirido una buena motricidad.

Hacia los 2 años de edad, y sobre todo si ya ha dormido en la guardería en un colchón colocado directamente en el suelo, el niño, al estar tras los barrotes, tiene una sensación de encierro que puede provocarle trastornos del sueño o deseos de escalada. En ocasiones, es suficiente con bajar simplemente un lado de la cama para que el pequeño se duerma tranquilo.

UN PEQUEÑO CONSEJO

Hay un juguete que debería estar presente en las habitaciones de todos los niños: la caja de música. Sus melodías forman parte del ritual de acostarse. El pequeño, al seguir oyendo la música cuando los padres se han alejado, recuerda su presencia, sus besos y su amor.

Compartir la habitación con un hermano, ya sea mayor o menor, suele ser conflictivo, pero casi nunca provoca trastornos del sueño. Más bien, al contrario, ya que de ese modo, al ser dos, los niños se sienten más fuertes para enfrentarse a los monstruos nocturnos.

Su habitación también desempeña un papel fundamental. Conviene que se destine a usos específicos: el niño duerme y juega en ella, pero debe realizar el resto de actividades en otra parte. Naturalmente, no es ni un lugar de castigo ni de exclusión. Además, al pequeño le gusta que la puerta de su habitación se quede entreabierta a la hora de acostarse para oír así los ruidos tranquilizadores y familiares de los suyos (tan solo los ruidos intensos y anormales pueden alterarle el sueño). Estos ruidos lo arrullan y sustentan su pensamiento. La luz del pasillo le permite, una vez

más, no sentirse excluido ni experimentar cierta sensación de soledad, fuente de una profunda angustia. Conforme pasa el tiempo, el niño se va apropiando del lugar.

El paso de la cuna a la cama supone un momento importante para el niño, si además va acompañado del cambio de parte del mobiliario. Se le puede hacer partícipe, hasta un cierto punto, en la elección del color o de las cosas que se colocarán en su habitación. Es importante que el niño vea su habitación como un espacio propio y se encuentre cómodo.

Su habitación será su mundo. Y llegará un día en el que el niño decidirá cerrar la puerta y en el que, ya adolescente, prohíba a sus padres que entren en

Acostumbrar a los niños a que recojan los juguetes antes de acostarse es una forma de que comprendan que es hora de dormir.

ella sin permiso. En cuanto a la decoración, es preferible decantarse por los tonos relajantes. El color debe estar presente, pero nunca de manera agresiva. Sin embargo, en este aspecto, la opinión de los padres solo prevalecerá durante un tiempo, ya que el niño no tardará mucho en querer colgar en las paredes sus dibujos y los pósters de sus héroes favoritos. Ese deseo formará parte del proceso normal de apropiación del lugar.

28 ¿Es obligatorio acostar al niño siempre a la misma hora?

Nada es obligatorio. Si por cuestiones de organización familiar, el niño debe acostarse más tarde, no tiene demasiada importancia, siempre que se respeten sus horas de sueño.

Eso significa que no debe despertarse demasiado temprano o que hay que dejarle dormir una buena siesta para que se recupere. A pesar de todo, a la gran mayoría de los niños les gusta la regularidad en sus vidas, por lo que hay que instaurar algunas normas en su educación. Incluso aunque a veces las consideren pesadas, para ellos son, ante todo, tranquilizadoras. Además, los niños han de comprender que sus padres también tienen una vida propia.

Conviene saber que lo primero que recomiendan los especialistas del sueño cuando se les consulta acerca de los trastornos es que los padres se esfuercen en que su hijo lleve un ritmo de vida regular, es decir, que coma a horas fijas, que lo saquen de paseo a la misma hora del día y que se respete siempre el ritual de la hora de acostarse.

Ya en la infancia se reconoce a los madrugadores y a los trasnochadores, un rasgo del carácter que los niños conservarán a lo largo de toda su vida y que será inherente a su persona. Estas particularidades van ligadas a un reloj biológico, aquel que regula la temperatura corporal: cuando desciende, la vigilancia disminuye y puede conciliar el sueño, mientras que cuando la temperatura asciende, el pequeño está despierto y activo. Para saber qué tipo de niño tenemos ante nosotros en ese momento, es

Un niño que se acuesta dos horas más tarde no se despertará dos horas más tarde. Abrirá los ojos a la hora habitual y perderá de este modo uno o dos ciclos de sueño. Si no los recupera a la hora de la siesta, el día resultará agotador, tanto para él como para sus padres.

suficiente con observarlo. Si busca el calor de los brazos de sus padres o se hace un ovillo en el sofá, significa que su organismo se está relajando y que necesita acostarse.

Pero existe un curioso fenómeno que a los padres, en ocasiones, les

UN PEQUEÑO CONSEJO

Unos ritmos de vida estables sientan las bases para dormir bien. El niño vive según los ritmos circadianos y se desarrolla a lo largo de su infancia según un programa-tiempo más o menos idéntico en todos los casos. Sin embargo, no todos los niños se acuestan a la misma hora. Todo depende de su personalidad y del ritmo de vida familiar. Los que duermen bien necesitan acostarse temprano para despertarse en forma, mientras que los otros pueden retrasar un poco la hora de irse a la cama.

cuesta identificar: cuanto más cansado está el niño, más agitado se muestra. Manifiesta su cansancio a través de una energía desbordante y, a menudo, desbocada. Para algunos, es el momento propicio para las tonterías, las rabietas y las manifestaciones agresivas. En realidad, el niño está luchando contra el sueño, su mente está alterada y no logra tranquilizarla. Este comportamiento se reproduce, sobre todo, en los niños que han dormido poco o mal la noche anterior. Sufren una falta de sueño paradójico, ya que, en la siesta, no se manifiesta. Este sueño resulta especialmente útil para gobernar las emociones.

Algunos especialistas del sueño también consideran que el cerebro puede encontrarse bajo la influencia de un número demasiado elevado de hormonas hipnógenas que no se han empleado. Al parecer, una actividad deportiva, como la natación, o un poco de relajación por la tarde permitirían a estos niños hallar un poco de tranquilidad al atardecer, siempre que los padres dejasen jugar al pequeño tranquilamente antes de acostarse.

A nivel fisiológico, la hora que debe respetarse con diferencia es la de despertarse, ya que influye en gran medida en la organización y la regularidad de los ritmos circadianos. En este sentido, cuando la noche del niño se acorta de forma voluntaria, disminuye el sueño paradójico (ver pág. 101), ya que este tiene lugar siempre en la segunda mitad de la noche. Ese sueño específico, caracterizado por una

abundante actividad eléctrica del cerebro, parece sustentar una actividad psicológica importante.

La privación de sueño paradójico conlleva una inadecuada recuperación psíquica, y el estrés acumulado durante el día no es metabolizado correctamente por el sueño. La actividad onírica de la mañana permite una mejor memorización a largo plazo en estado de vigilia y favorece, por tanto, cualquier tipo de aprendizaje.

Las historias contadas, o leídas, por los padres pueden formar parte del ritual diario que se establece antes de dormir.

29

¿Influyen los acontecimientos familiares en el sueño del niño?

Los trastornos del sueño en el niño suelen ir ligados a posibles alteraciones en su vida. A esta edad, el pequeño cada vez es más consciente de lo que pasa a su alrededor.

El niño es sensible a una mudanza, al comienzo de preescolar, a la aparición de una nueva persona que lo cuide o, lo que es más grave, a los pequeños y grandes dramas familiares, ya sean tensiones o discusiones entre los padres. De este modo, algunos niños, cuando pueden salir de su cama, son capaces de acercarse a comprobar en mitad de la noche si sus padres siguen ahí. A veces, incluso tratan de acostarse en su misma cama, en cuyo caso es preferible acompañar al pequeño de vuelta a su habitación.

Para dormirse y dormir bien, el niño debe sentirse totalmente seguro, es decir, estar tranquilo y sentir un placer narcisista. Los niños perciben a la perfección la emoción que embarga a uno de sus progenitores o a ambos, pero como no la comprenden, se inquietan. Una agitación anormal, unos padres excesivamente cariñosos un día y algo menos al siguiente, unos padres tristes o que se pelean lo obligan a encontrar sus propios métodos para calmarse. En algunos casos, a la hora de acostarse, el pequeño permanece despierto en la oscuridad, pendiente del más mínimo ruido. En otros casos, el niño recupera la costumbre de despertarse durante la noche y de reclamar la presencia de sus padres.

La percepción de una alteración en el comportamiento de sus padres puede originarle inquietud, incluso cierta angustia, y, por tanto, trastornos del sueño. Cuando se perfila un cambio en la vida de un niño hay que decírselo. A esta edad le gusta que le digan la verdad.

Las separaciones que no acaban de ser aceptadas por los padres siguen siendo una de las causas más frecuentes de trastorno del sueño a esta edad. Dichas separaciones pueden deberse a que el niño empiece a ir a la guardería —algo no previsto o consentido realmente por uno de los padres— o a que el pequeño sea enviado temporalmente a casa de los abuelos —por ejemplo, por el nacimiento de otro niño o para que la madre tenga un pequeño respiro, cuando ella, verdaderamente, no desea separarse de su hijo. También puede deberse simplemente a la aparición en su vida de una canguro desconocida para cuidarlo una noche. Si esto sucede, avisad al niño y, si la canguro llega antes de que se acueste, presentádsela para que se conozcan. Esa sinceridad lo tranquilizará y os permitirá comprobar que el pequeño no crea ningún drama porque de vez en cuando os ausentéis. Por último, no es raro que algunos trastornos del sueño sean producto de malos recuerdos de la infancia. En este sentido, una separación mal asumida en el pasado genera una tensión a simple vista incomprensible.

Algunos acontecimientos familiares son clásicos alteradores del sueño. Uno de ellos puede ser una buena noticia: el futuro nacimiento de otro bebé en la familia. El resto es más triste, como la pérdida de un ser querido por parte de uno de los padres o la separación de la superficiales, en ocasiones casi mecánicas, y, por lo general, más escasas. El niño no acaba de reconocer a su padre o a su madre, y no comprende esta nueva actitud. A través de sus llamadas, el pequeño muestra que necesita a ese ser que se ha alejado de él, e intenta recuperar el afecto perdido.

Aunque el niño sea muy pequeño, la separación de los padres constituye un periodo de tantos trastornos afectivos que su calidad del sueño se ve irremediablemente alterada. La tristeza y la ansiedad vividas por el niño trastornan sus días y sus noches. Así pues, necesita que lo tranquilicen por más de un motivo.

Sus despertares nocturnos le permiten comprobar que no ha sido «abandonado» en mitad de la tormenta y que uno de sus padres sigue ahí, que él no tiene la culpa de lo sucedido y que lo siguen queriendo. Piensa que el progenitor que se ha ido tal vez decida regresar mientras él duerme.

UN PEQUEÑO CONSEJO

Aunque el niño sea muy pequeño y no pueda comprenderlo todo, es mejor anunciarle primero la futura llegada de un hermanito o hermanita y luego explicarle los cambios que eso implica antes que permitir que se cree un clima de misterio. Los despertares nocturnos tendrán entonces una razón de ser. Fruto de los celos, brindarán a los padres la ocasión de demostrar su cariño abiertamente.

UN PEQUEÑO CONSEJO

Si se produce una separación, la pena del pequeño sanará con el tiempo y este será más breve si sus padres mantienen una actitud responsable durante el proceso. Así, deberán permitir que quien abandone el hogar siga presente físicamente de vez en cuando y simbólicamente a diario. Afirmar alto y claro que la separación no cambia en absoluto los vínculos afectivos con el niño es una condición esencial para que este pueda volver a dormir tranquilamente.

pareja. En el primer caso, el niño observa, sin saber por qué, que su madre ya no tiene tanta disponibilidad para él: juega un poco menos, se niega a llevarlo en brazos siempre que él quiere, le cuenta cuentos más cortos por la noche, etc. Al no ser informado del acontecimiento que se avecina, el pequeño no comprende los cambios de comportamiento de su madre, siente que ella lo quiere menos e intenta llamar su atención a toda costa, día y noche. Si el secreto se oculta durante mucho tiempo, el niño equiparará el silencio a una amenaza, a un peligro que la revelación no conseguirá erradicar, ya que el pequeño todavía no es capaz de relacionar ambos acontecimientos.

Una pérdida en la familia también origina trastornos del sueño en el niño. El pequeño percibe la depresión, más o menos marcada, en la que se sumen los padres durante el luto. La tristeza, que moviliza una parte importante del psiquismo del padre afectado, cambia la forma que este tiene de mirar al pequeño. Su mirada se torna más distante y con menos brillo. Las muestras de afecto son más

30 ¿A qué edad merece la pena contar un cuento al niño para que se duerma?

A partir de los 2 años, el niño empieza a apreciar que sus padres le lean un cuento para dormir. El cuento debe inspirarse en las imágenes de un libro o proceder directamente de la imaginación de los padres.

En el primer caso, le gustará contemplar las imágenes, arrullado por el sonido de la voz del adulto, y seguramente pedirá conservar el libro consigo para dormirse. Es preferible contar el cuento con el niño ya acostado en la cama e iluminados con una luz tenue. Un clima de proximidad y complicidad proporcionarán valor a este momento.

Es indiferente si son los padres quienes eligen el cuento o si es el propio hijo. Lo esencial es que al niño le guste y que encuentre en él referencias conocidas. Es indispensable adaptar el cuento a la personalidad del niño y a su edad. A los niños les gustan las historias de aventuras y los héroes que superan todo tipo de dificultades gracias a su valentía y su inteligencia, pero también gracias a extravagantes artimañas.

La extensión del relato dependerá de la capacidad de atención del niño. Si la historia es inventada, hay que hacer lo posible para recordar los giros y los rasgos de carácter del héroe, ya que el niño no se cansará de pedir que se la repitamos un día sí y otro también. Volver a escuchar las mismas historias cada día lo tranquiliza y esa sensación es importante a la hora de dormirse.

Un buen cuentacuentos es también un buen actor, de modo que resulta verdaderamente importante entonar bien, añadir algunos ruidos emitidos por los animales, por poner un ejemplo, y crear un clima de suspense. El secreto de una historia bien contada radica en la complicidad que se crea entre el lector y el oyente. Así pues, los niños apreciarán enormemente un guiño, una alusión personal, etc.

Tal vez el pequeño parezca no estar atento a lo que le contáis, como si permaneciese perdido en sus

UN PEQUEÑO CONSEJO

Si se extrae la historia de un libro, no es necesario simplificar el vocabulario. Es suficiente con explicar al niño las palabras difíciles y, sobre todo, emplear la imagen como soporte para ayudarle a comprender. En este sentido, el cuento narrado por la noche puede constituir la ocasión ideal para aprender nuevo vocabulario.

De momento, imaginad o leed historias sencillas en las que los héroes vivan aventuras cotidianas, pero que hablen de miedos clásicos relacionados con la edad de vuestro hijo, como perderse o perder su objeto fetiche y, sobre todo, separarse de su mamá.

La lectura de un cuento es una excelente forma de acabar el día: les relaja y aviva su imaginación.

pensamientos. Desengañaros. Si os detenéis, no permanecerá callado, y si os saltáis o cambiáis una anécdota os lo hará saber y exigirá que sigáis el orden habitual del relato.

Algunos niños prefieren escuchar música antes de dormir. Un CD o un equipo de música sencillo le permitirán oírla varias veces seguidas. Al igual que sucede con el cuento, la repetición desempeña en este caso una función tranquilizadora.

31 Nuestro hijo se balancea para dormirse. ¿Es normal?

Muchos niños necesitan balancearse para dormirse. Algunos mueven todo el cuerpo, mientras que otros solo agitan la cabeza. Según el niño, esta costumbre dura más o menos tiempo y se produce básicamente al principio de la noche, aunque en ocasiones también en mitad de la noche.

Hemos observado que cuanto más ruido hacen estos niños al agitar los objetos que hay colgados en el borde de su cuna, más se mueven ellos, hasta que al final convierten esta pequeña manía en un

Realizar una actividad relacionada con el ritmo, como tocar un instrumento de percusión, supone una buena manera de liberar un exceso de energía y facilita la relajación a la hora del sueño.

cama en su sitio, fijada al suelo. Algunos médicos aconsejan que estos niños se duerman escuchando un sonido muy rítmico sobre el que no puedan intervenir.

Por último, también resultan eficaces las actividades diurnas relacionadas con el ritmo, como bailar, tocar un instrumento de percusión, cantar canciones infantiles dando palmas, montar en un caballo balancín, etc. No hay que olvidar jamás que la mayoría de los bebés llevan el ritmo en el cuerpo. Les encanta bailar, así es que... ¿por qué no hacerlo para dormirse? El baile también constituye una buena manera de liberar un exceso de energía a la hora en la que el cuerpo va a permanecer inmóvil.

A veces se cae en el error de creer que la mejor forma para que un niño, especialmente activo, se duerma más fácilmente es evitar que duerma la siesta y que realice actividades cansadas antes de irse a la cama. Pero estas medidas, lejos de favorecer el sueño del niño, harán que se muestre irritable y su cansancio dificultará que se relaje y pueda conciliar el sueño. En estos casos lo más apropiado es reservar las últimas horas de la tarde para realizar actividades tranquilas como escuchar música o leer un cuento.

juego. Los niños que golpean la cabeza contra los barrotes de la cama son los que más preocupan a los padres, que no deben interpretar este movimiento rítmico como un trastorno psíquico.

Para evitar que el pequeño haga demasiado ruido, es suficiente con proteger la cabecera de la cuna con algo mullido y alejarla de la pared. Si sus balanceos son realmente molestos, se deberá tratar de reducir el tiempo que pasa el niño solo en la cama antes de dormirse y hacer lo posible para descubrir a qué hora se duerme. También conviene sacarlo de la cuna en cuanto se despierte.

Para aquellos que se mueven tanto que desplazan la cuna por toda la habitación, la única solución consiste en instalar un sistema que mantenga la

Los niños autistas o con importantes problemas afectivos se balancean mucho tanto de día como de noche y presentan enormes dificultades para relacionarse con los demás, pero sus balanceos no constituyen los signos más reveladores del trastorno que padecen.

32 Nuestro hijo no para de dar patadas mientras duerme y se mueve tanto que amanece atravesado en la cama. ¿Duerme bien?

Seguramente ese niño aprendió a caminar pronto y ahora se pasa el día corriendo y trepando a todos lados. Es un niño activo.

La mayoría de los niños se mueven cuando están durmiendo. Y es que la actividad motora que se produce mientras están despiertos no puede sino repercutir en el sueño. Los pequeños consumen mucha energía. No es de extrañar pues que, a la hora de dormirse, tengan alguna dificultad para controlar sus gestos.

Algunos especialistas piensan que la mala coordinación de los movimientos durante el día explicaría la dificultad que tienen los niños para calmarse por la noche. Las observaciones realizadas mientras dormían revelan una agitación importante. Las horas en las que el niño se mueve más se sitúan en mitad de la noche, entre las 23 h y las 5 h, y esos movimientos pueden llegar a despertarlo.

La agitación mientras duerme varía mucho de un niño a otro, pero, por norma general, los niños tranquilos duermen de manera más calmada que los que son más vivos y están más activos durante el día. Estos últimos patalean mucho por la noche. Pero la calidad de su sueño no se ve alterada en absoluto. Lo máximo que puede suceder es que se despierten entre dos ciclos de sueño por haber adoptado una postura incómoda o haberse enredado con las sábanas. Estos niños son los que, cuando crecen un poco, se caen de la cama con cierta regularidad. Algunos incluso amanecerán en la alfombra.

A veces el niño manifiesta una carencia afectiva agitándose mientras está durmiendo. Tal vez necesite un poco más de atención durante el día y más cariño que los demás. ¿Por qué no intentarlo? Le sentará bien.

Esto sucede, sobre todo, cuando pasan de la cuna a la cama, ya que la cama no tiene la protección que les ofrecían los barrotes y les permite una mayor libertad de movimientos. Es importante que se ponga algún tipo de protección para evitar que se hagan daño al caerse de la cama.

Por último, es muy probable que de adultos se los considere personas de mal genio.

33 Nuestro hijo ronca. ¿Es motivo de preocupación?

Los ronquidos pueden tener diversos orígenes. Lo más frecuente es que se deban a un resfriado y, por lo tanto, a la obstrucción temporal de las vías respiratorias. En esos casos, basta con limpiar la nariz del niño con una solución salina o destaparla con un sacamocos.

Otros ronquidos, sobre todo si son muy sonoros, exigen algo más de atención, ya que pueden ser fruto de apneas obstructivas. Para reconocerlos se ha de observar detenidamente el sueño del pequeño. Cuando los ronquidos se interrumpen, ¿se emiten una especie de rugidos procedentes de la orofaringe? ¿Se infla la tripa del niño mientras que su tórax se hunde? ¿El pequeño está pálido y empapado en sudor? Por último, tras una pausa, ¿se reanudan los ronquidos? ¿Se despierta el niño con frecuencia durante la noche?

La apnea es un fenómeno normal durante el sueño. Estas pausas respiratorias no son inquietantes si no van acompañadas de ronquidos.

Todos estos síntomas son característicos de las apneas obstructivas del sueño. Las vías respiratorias superiores se ven obstruidas, a menudo debido a unas amígdalas o unas vegetaciones muy voluminosas. A través de una intervención quirúrgica de ablación el niño podrá disfrutar de un sueño normal casi de inmediato. Para facilitar el diagnóstico médico, a menudo hay que grabar los ruidos que hace el pequeño mientras duerme para que el médico pueda escucharlos.

Si un niño ronca habitualmente, es importante que se conozca la causa para descubrir un posible problema.

Las apneas obstructivas del sueño suelen provocar cierta fatiga en el niño, que dormirá mal por la noche, se quedará dormido durante el día por el agotamiento, y estará triste y huraño.

34 ¿Es sensible el niño al cambio de hora?

Al niño que ya ha realizado un esfuerzo considerable para regular su reloj interno a 24 horas le costará mucho adaptarse a cualquier diferencia horaria. Los motivos económicos alegados para el cambio de hora de verano a invierno, y a la inversa, no son problema suyo.

Para ayudar al niño a adaptarse a la sociedad en la que vive, sus padres deberán cambiar sus costumbres de forma progresiva. Así pues, es recomendable que durante la semana siguiente al cambio de hora se adelanten o retrasen unos minutos, según el caso, sus comidas, paseos, el baño y la salida hacia la guardería para hacerse con esa hora de diferencia.

Algunos niños pueden tardar tres semanas en adaptarse. Por suerte, estos cambios de hora también corresponden a un cambio de estación al que el

Algunos niños son especialmente sensibles a los cambios de horarios.

UN PEQUEÑO CONSEJO

Los adultos suelen dormir la siesta cuando hace buen tiempo y cuando están de vacaciones. Pero no le pidáis a vuestro hijo que duerma más que de costumbre esos días para acompañaros, ya que el niño no controla lo que necesita dormir y siempre piensa que tiene algo mejor que hacer. ¡Y es que tiene tantas cosas por descubrir!

sueño del niño es sensible. La luminosidad y el calor veraniegos disminuyen la necesidad de horas de sueño, mientras que el frío y la temprana oscuridad del invierno la aumentan.

Hoy en día sabemos que la oscuridad favorece la secreción de melatonina, la hormona que provoca el sueño. Aunque la comodidad de las casas actuales hace que este fenómeno sea menos espectacular, sobre todo desde la aparición de la electricidad, sigue siendo real.

Cómo evaluar el sueño de vuestro hijo

Evaluar el sueño de un niño no siempre resulta fácil, ya que depende de la edad que tenga el pequeño, de la fase de desarrollo en la que se encuentre, de la relación que tenga con los padres y de los problemas familiares que puedan alterarlo. Por ese motivo, rellenar estas tablas del sueño que os ofrecemos aquí pueden ayudaros a realizar una evaluación objetiva. Además, si acudís a la consulta de un pediatra o a algún servicio hospitalario especializado para tratar los trastornos del sueño del pequeño es muy probable que os pidan esta información. La observación debe realizarse a lo largo de una semana y consiste en marcar con una cruz los momentos de sueño y de vigilia de vuestro hijo. Para permitir una lectura más rápida de las tablas, utilizad bolígrafos de colores diferentes para cada estado. Así, el pediatra podrá evaluar inmediatamente la cantidad global de sueño en función de la edad del niño y comprobar si algunos despertares resultan anormales. Debajo de cada día podéis anotar cualquier comentario al respecto.

Lunes	Mañana						Tarde								Noche								
Horas	7	8	9	10	11	12	13	14	15	16	17	18	19	20	21	22	23	24	1	2	3	4	5	6
Sueño																								
Vigilia																								

Comentarios ....

Martes	Mañana						Tarde								Noche								
Horas	7	8	9	10	11	12	13	14	15	16	17	18	19	20	21	22	23	24	1	2	3	4	5	6
Sueño																								
Vigilia																								

Comentarios ....

Miércoles

Horas	Mañana						Tarde						Noche											
Horas	7	8	9	10	11	12	13	14	15	16	17	18	19	20	21	22	23	24	1	2	3	4	5	6
Sueño																								
Vigilia																								

Comentarios ....

Jueves

Horas	Mañana						Tarde						Noche											
Horas	7	8	9	10	11	12	13	14	15	16	17	18	19	20	21	22	23	24	1	2	3	4	5	6
Sueño																								
Vigilia																								

Comentarios ....

Viernes

Horas	Mañana						Tarde						Noche											
Horas	7	8	9	10	11	12	13	14	15	16	17	18	19	20	21	22	23	24	1	2	3	4	5	6
Sueño																								
Vigilia																								

Comentarios ....

Sábado

Horas	Mañana						Tarde						Noche											
Horas	7	8	9	10	11	12	13	14	15	16	17	18	19	20	21	22	23	24	1	2	3	4	5	6
Sueño																								
Vigilia																								

Comentarios ....

Domingo

Horas	Mañana						Tarde						Noche											
Horas	7	8	9	10	11	12	13	14	15	16	17	18	19	20	21	22	23	24	1	2	3	4	5	6
Sueño																								
Vigilia																								

Comentarios ....

De 3 a 6 años

Los sueños, las pesadillas y los miedos reflejan que vuestro hijo se está desarrollando a la perfección.

35 ¿Por qué las historias de monstruos ayudan a los niños a dormirse?

Las canciones y las historias repletas de lobos, ogros y brujas o barcos que zozobran tienen algunas virtudes. Al cantarlas o narrarlas, se caza a los lobos y se lleva la contraria a las brujas. Esta sencilla manera de controlar los miedos a través de la burla ha dado muestras de funcionar.

Es curioso constatar que los niños siguen estremeciéndose bajo las sábanas al oír hablar, por ejemplo, del lobo, cuando hace ya muchísimo tiempo que este animal no ronda las ciudades ni el campo. Los niños de 3 años todavía no logran establecer la diferencia entre lo real y lo ficticio, entre el mundo imaginario y el mundo real.

El niño vive en un mundo mágico en el que los animales hablan y en el que los juguetes se esconden para gastar una broma. Basta con poner nombre a las cosas para que sean «verdaderas» y negarlas para hacerlas desaparecer. A esa edad, el pequeño rebosa imaginación y algunas de sus historias son verdaderas escenas teatrales en las que él es el autor y, al mismo tiempo, protagonista. En realidad, los lobos y los monstruos le sirven para tener menos miedo en la vida cotidiana.

Si prestamos atención, los lobos de las historias, al igual que los monstruos, no son tan malos. Son feos, suelen tener unas mandíbulas prominentes, pero en el fondo, la mayoría de las veces, tienen un gran corazón. Su comportamiento es idéntico al de los niños de esa edad: son coléricos, golosos, intrépidos y miedosos. La gama es lo bastante amplia para que todo el mundo se reconozca en ellos. Sin embargo, al final de la historia, esos héroes peludos y

Cuando está en la cama, el oyente se convierte en el niño de una familia que escucha a su madre contarle una historia que ella escuchó durante su propia infancia. De esta manera, el pequeño participa en lo imaginario, en los temores y en la mitología familiares.

barrigudos o bien derrotan a los malos o bien se convierten en unos seres encantadores. ¡Qué tranquilizador resulta todo eso!

En el plano psicológico, estos personajes repulsivos simbolizan

Si un niño sufre pesadillas, debe saber que puede contar con sus padres y que estos le entenderán.

la batalla cotidiana contra las pesadillas y los fantasmas que habitan las cabecitas de los niños y que tanto los asustan. Estos monstruos solo existen para ser combatidos y vencidos por el pequeño.

En realidad, tener miedo es bueno si se sabe que en el fondo no se corre ningún riesgo. La vida cotidiana es muy diferente. Por último, los monstruos también pueden hacer las veces de amigos, de aliados que ayudarán al niño a abatir a otros ogros y fantasmas.

Los cuentos o las historias también representan una transmisión hereditaria importante a través de la calidad de la voz, la intimidad y la teatralización aportadas por el lector.

UN PEQUEÑO CONSEJO

Permitid que el niño exprese sus temores cuando le contéis una historia de monstruos, ya que a través de la palabra puede dominarlos. Los monstruos ayudan a materializar angustias difusas para que, una vez identificadas, estas resulten más fáciles de superar.

36 Todas las noches, o casi todas, nuestro hijo de 3 años se levanta y viene a la habitación para meterse en nuestra cama. ¿Qué podemos hacer?

Es un comportamiento relativamente frecuente a esta edad. Por regla general, no es fruto de una pesadilla, sino que debe interpretarse como una manifestación del complejo de Edipo que sufren los niños a partir de los 3 años.

El niño se presenta en mitad de la noche en la habitación de los padres e intenta hacerse un hueco en el lecho conyugal. Su objetivo es deslizarse entre ellos y apartar así a su rival (su padre, en el caso de que sea un niño, y su madre, si se trata de una niña). Si los padres se lo permiten por comodidad, el pequeño puede llegar a convertir ese fantasma en realidad. Esta situación se agrava cuando el niño es la excusa de una mala relación de pareja. Independientemente de la situación, resulta esencial para el equilibrio del niño que perciba claramente la prohibición del incesto.

Este episodio puede tratarse de dos formas distintas según la posición educativa adoptada. La actitud más firme consiste en acompañar al niño a su habitación de modo sistemático y acostarlo dándole las buenas noches; la otra radica en dejar que el niño permanezca en la cama con vosotros, siempre que la relación de pareja no se resienta por ello. Existe una tercera vía, intermedia, que consiste en dejar que el niño se acueste en un rincón de vuestra cama o en la alfombra, una comodidad un tanto precaria que, por lo general, lo conducirá de vuelta a su habitación tras varios intentos. En todos los casos es importante explicar al niño que si sus padres duermen juntos es porque son pareja. Hay que hacerle constatar que ni su padre ni su madre duermen con sus propios padres.

No dejéis nunca que vuestro hijo piense que puede llegar a ocupar un lugar en el lecho conyugal. Hablad alto y claro del amor que sentís por vuestra pareja y habladle de su futuro: algún día, él también encontrará su alma gemela y tendrá hijos.

Los padres tienen que explicar a sus hijos que deben aprender a respetar su espacio y su intimidad.

⟨37⟩ Nuestro hijo se niega rotundamente a irse a la cama cada noche. ¿Por qué lo hace?

Se pueden alegar cuatro razones. Una de ellas es que muchos niños temen lo que médicamente se denomina *alucinaciones hipnagógicas,* que también padecen a menudo los adultos.

Definirlas no resulta sencillo, ya que se trata de una serie de fenómenos que tienen lugar inmediatamente antes o justo después del adormecimiento, en el preciso momento en el que la vigilancia se relaja. La más frecuente es el sobresalto: el niño es víctima de una brusca relajación muscular que despierta su conciencia, provocándole la desagradable sensación de haber caído en un agujero o de lo alto de una enorme roca. La pérdida de tono muscular también puede provocar

Si un niño se resiste sistemáticamente a irse a dormir, es necesario hablar con él y averiguar qué es lo que le ocurre.

sensaciones de parálisis en todo el cuerpo, lo que impide cualquier tipo de movimiento.

Otro fenómeno angustiante es tener la sensación de que un brazo pesa mucho o se alarga de forma desmesurada. También existen ilusiones sensoriales, visuales, auditivas y táctiles: las sombras en las paredes de la habitación parecen monstruos, los ruidos familiares se tornan extraños o el pequeño tiene la sensación de que un insecto recorre su cuerpo. La ilusión también puede afectar a la mente, creando angustias y peligros imaginarios.

En ocasiones se pueden sufrir alucinaciones hipnagógicas al despertar. En ese caso suelen adoptar la forma de parálisis del cuerpo o de un miembro. No es extraño temer estas sensaciones cuando se es niño y confluyen varios fenómenos.

Algunos niños tienen miedo del sueño, un miedo especial que suele estar relacionado con el hecho de

no poder despertarse nunca más. Viven el hecho de acostarse como un momento importante de separación en el que la soledad en la oscuridad

UN PEQUEÑO CONSEJO

Si le pedimos al niño que nos cuente lo que le pasa y banalizamos estos fenómenos, le enseñaremos a no tener miedo de las alucinaciones que padece. El pequeño debe saber que sus padres también experimentan esas sensaciones y que se deben a un funcionamiento cerebral fantasioso.

inmediatamente se torna insoportable. Ese miedo es comparable al miedo a la muerte, relacionado directamente con la desaparición de un ser querido, sobre todo si esta se ha comparado con un adormecimiento.

Hay que evitar este tipo de explicación y hablar al niño del deterioro del cuerpo humano, del ciclo de la vida y de que aquellos que nos abandonan siguen viviendo en nuestros recuerdos y a través de nuestro amor.

Cada uno ha de encontrar las palabras y las imágenes adecuadas a su creencia religiosa, su filosofía o su concepción de la vida. Estos niños necesitan, más que cualquier otro, que la hora de acostarse constituya un verdadero un ritual. Hay que darles tiempo para que puedan sumirse en un dulce sueño.

Otros niños, especialmente activos y voluntariosos, pueden negarse categóricamente a irse a la cama. Aunque estén cansados, se enfadan en cuanto se baraja esa posibilidad. No quieren quedarse en su cama y, cuando consienten por fin acostarse, luchan para no cerrar los ojos.

Otros niños, sin saber por qué, sufren un desajuste de su reloj interno.

> Los niños que durante las vacaciones pasan por alto la costumbre de dormirse a una hora determinada pueden sufrir después un desajuste pasajero de su reloj interno.

UN PEQUEÑO CONSEJO

Se desaconseja administrar al niño algún medicamento para dormir, ya que el pequeño interpreta este gesto como una verdadera provocación y activa un sistema de defensa para combatir sus efectos. Solo la firmeza y el cariño pueden poner fin a su resistencia.

Su cerebro es incapaz de sincronizarse con la hora habitual de acostarse. Por lo general, este trastorno, que consiste en atrasar cada día la hora de irse a la cama, se produce de forma progresiva. Estos niños se encuentran en plena forma hasta altas horas de la noche y, si consienten en acostarse, intentan dormirse en su cama sin parar de moverse. Su necesidad de horas de sueño no se ve modificada en absoluto. Así pues, tienen un despertar difícil. Les cuesta levantarse, sobre todo si van a la escuela, y arrastran el cansancio a lo largo de toda la mañana para luego recuperar la energía.

Por lo general, la firmeza de los padres no cambia nada. La ansiedad de no dormirse es relativamente frecuente en el niño, sobre todo si sus padres le imponen una hora de irse a la cama cuando él no tiene sueño. No confirmar sus expectativas lo inquieta y lo mantiene despierto. Es el comienzo del círculo vicioso tan conocido por los adultos insomnes.

38 ¿Cómo podemos enseñar a nuestro hijo a no hacerse pipí en la cama?

Por lo general, los niños controlan su vejiga casi completamente durante el día hacia los 2 años o los 2 años y medio, y por la noche durante los meses siguientes. Pero para algunos aprender a no hacerse pipí en la cama requiere un poco más de tiempo.

En todos los casos, el hecho de que el niño deje de hacerse pipí encima significa que ha alcanzado la madurez vesical, es decir, que ha adquirido la capacidad de controlar su vejiga. Si le resulta más difícil no orinarse encima por la noche que por el día es porque, al estar dormido, tarda más en controlar la vejiga. Cuanto más crece el niño, más voluminosa es su vejiga y menos presión ejerce su llenado. La vejiga del pequeño se llena a trompicones, de ahí las pérdidas involuntarias. Solo con el tiempo y cierto adiestramiento el niño adquiere conciencia de sus ganas de orinar y puede retenerlas.

Actualmente se conocen las bases fisiológicas de los «olvidos» nocturnos. En el niño enurético,

Reducir la cantidad de líquido ingerida antes de dormir ayuda a evitar los «escapes nocturnos».

todavía no se ha adquirido el ritmo cronobiológico día/noche de la hormona antidiurética. Explicado de manera más sencilla: durante la noche no se produce un aumento de esta hormona, y, como el volumen de orina es superior a la capacidad de la vejiga del niño, esta se desborda.

La enuresis afecta a aquellos niños que tienen un sueño especialmente profundo, ya que los que tienen un sueño normal se despiertan durante las fases de sueño ligero si necesitan ir al baño. Este trastorno parece afectar más a los niños que a las niñas. Existen razones especiales, fácilmente reconocibles, que pueden retrasar la etapa de dejar de orinarse encima por la noche. Hacerse pipí en la cama suele ser una manera de protestar ante una situación que el niño es incapaz de controlar, como el nacimiento de un hermanito o el divorcio de sus padres. Teniendo en cuenta datos fisiológicos y psicológicos, los padres pueden ayudar a su hijo a dejar de hacerse pipí en la cama. Para ello, incorporarán al ritual de antes de acostarse una visita obligada al cuarto de baño.

Algunos padres prefieren despertar al niño cuando van a acostarse para proponerle que vaya al baño.

Este método a veces resulta eficaz, ya que la mayoría de las micciones se producen en las primeras horas de la noche. Pero tiene sus límites. Por un lado, en la mayoría de los casos el niño está medio dormido y no se da cuenta de que está orinando; por otro lado, aplicado más de ocho días seguidos, puede provocar verdaderos trastornos del sueño.

El método exige que los padres estén disponibles cuando el niño se despierte en mitad de la noche. Para facilitarle levantarse por la noche, dejadle el orinal en la habitación. Podéis ponerle una pegatina fluorescente para que lo vea más fácilmente en la oscuridad o dejar una lamparilla encendida en un rincón de la habitación.

Para completar el aprendizaje, se pueden establecer algunas consignas. Así, es preferible no dejar que el niño beba mucho pasadas las 18 h. Puede beber, pero de forma moderada, evitando siempre las bebidas gaseosas o azucaradas ya que estas bebidas aumentan la producción de orina. Eliminad el vaso de agua de antes de acostarse. Para que el niño aprenda a no orinarse encima es necesario que se sienta respaldado por sus padres. También es preciso que el pequeño tenga la voluntad de querer dejar el pañal y que goce de la capacidad intelectual necesaria para ello.

UN PEQUEÑO CONSEJO

Pensad en proteger el colchón para reducir los efectos de las pérdidas de orina y, si estas se producen, no creéis ningún drama. Explicadle al niño que esas cosas pasan y proponedle, si está de acuerdo, que se ponga otra vez el pañal unas noches. Por regla general, al cabo de unos meses, el niño será capaz de permanecer seco toda la noche.

El método consistente en despertar al niño por la noche para hacerle orinar despierta a toda la familia menos al pequeño y puede provocarle trastornos del sueño si se aplica más de una semana seguida. La única manera de poner fin a la situación es seguir un tratamiento de comportamiento.

39

Nuestro hijo de 5 años todavía se hace pipí en la cama de vez en cuando. ¿Padece enuresis?

Se habla de enuresis solo cuando el niño se orina en la cama de forma regular. Se denomina *primaria* cuando el pequeño siempre ha tenido este problema, mientras que recibe el nombre de *secundaria* cuando se produce tras un periodo de no mojar la cama.

La enuresis no es hereditaria. Simplemente, los padres que la han sufrido suelen hablar de ello y transmiten la responsabilidad de esta alteración del padre al hijo.

Las causas son múltiples y están íntimamente ligadas. A menudo, a los problemas fisiológicos y neurológicos de la madurez que permite al niño controlar su vejiga, se unen problemas psicológicos y, a veces, errores en la educación. La enuresis secundaria es, ante todo, una manifestación de ansiedad que se produce en el niño cuando, en el plano médico, nada revela una anomalía del aparato urinario.

El volumen de la vejiga aumenta de manera progresiva desde que el niño cumple 1 año hasta los 5 años de edad. Hacia los 6 años, el niño controla completamente los músculos que le permiten retener la orina. Por tanto, hasta esa edad, no hay que sorprenderse si se orina por la noche. Actualmente, dos de cada diez niños de más de 5 años y uno de cada diez de más de 6 años se hacen pipí en la cama. No existe ninguna razón para culpar al niño que presenta esta dificultad.

La enuresis solo se considera realmente una enfermedad cuando afecta a niños mayores de 5 años. A partir de esa edad conviene tratarla. En primer lugar se realiza un diagnóstico que se basa, sobre todo, en un cuestionario preciso. ¿Se hace pipí el niño en la cama solo por la noche? ¿Es consciente de esa micción nocturna cuando se produce?

Si el diagnóstico confirma que el pequeño padece este trastorno, se aplica un tratamiento. El médico

UN PEQUEÑO CONSEJO

En caso de haber sufrido alguna pérdida, no dejéis al niño con la ropa mojada para castigarlo. Cambiadle el pijama y las sábanas de inmediato. También podéis ponerle un pañal en forma de braguita para ayudarle a sentirse mayor y a controlar las pérdidas. Tienen la ventaja de pasar desapercibidas cuando el niño duerme fuera de casa y no tiene ganas de que sus amiguitos se burlen de él.

Mojar la cama por la noche no debe convertirse en un problema familiar y, sobre todo, no culpabilizar al niño.

desmopresina, semejante a la de la hormona antidiurética. El tratamiento, presentado en forma de spray nasal, consiste en dos inhalaciones en un intervalo de media hora y una hora antes de acostarse. Resulta de fácil aplicación, se tolera bien y no tiene efectos secundarios. La duración recomendada es de tres meses prorrogables en caso de no obtenerse los resultados deseados o de repetirse la enuresis. Se puede seguir en un centro de atención primaria o asociado a una cura termal. Hay que tener en cuenta que los pequeños accidentes forman parte del desarrollo normal de esta adquisición. Es importante que el niño sea consciente de su problema

empieza por tranquilizar al niño: hacerse pipí en la cama no es un drama. Luego lo implica en el tratamiento. Un calendario miccional lo ayudará a hacerse responsable. El niño anotará en él las noches que moja la cama pintando un paraguas y las noches que permanece seco dibujando un sol. De este modo, él mismo podrá valorar sus progresos. Al observar las anotaciones de su calendario, los padres se darán cuenta de que su hijo suele mojar la cama con menos frecuencia cuando está en casa de los abuelos o de vacaciones con sus amigos que en casa. A menudo, el niño controla la enuresis estando lejos de su familia.

El tratamiento de la enuresis es sencillo y se basa en la utilización de una molécula llamada

y que esté implicado en la solución, pero esto no debe impedir que lleve una vida normal y no se le debe culpabilizar, ya que este sentimiento puede tener consecuencias más graves.

Hay que tener en cuenta que una actitud demasiado autoritaria por parte de los padres puede causar trastornos del sueño en el pequeño, que intentará no dejarse vencer por el sueño por temor a mojar la cama. Por último, es preciso saber que entre un 10 y un 15 % de los niños superan este problema de forma espontánea a partir de los 5 años. Si la enuresis persiste, el pequeño se muestra pasivo y vergonzoso. Es indispensable entonces implicarlo en su curación responsabilizándolo de su enuresis.

40 ¿Hasta qué edad debe dormir la siesta?

La respuesta, aunque simple, no resulta satisfactoria: hasta que lo necesite. Independientemente de que se trate de un niño o de un adulto, la primera hora de la tarde es propicia para dormir debido a un descenso fisiológico de la atención.

Los ritmos cronobiológicos dividen las 24 horas de un día en dos periodos de sueño. El más importante de ellos se sitúa por la noche y el otro, reparador, durante el día, cuando comienza la digestión. Los padres que deseen que su hijo duerma la siesta deben darle de comer como muy tarde entre las 12 y las 13 h.

Así, los niños suelen reducir la atención entre las 12 h y las 14 h. Aquellos que ya van al colegio comen tranquilamente en cuanto llegan a casa y luego incluso pueden jugar un cuarto de hora antes de acostarse.

Sin embargo, no todos los individuos reaccionan de la misma manera frente a esta imposición biológica.

No todos los niños tienen la misma necesidad de dormir la siesta cuando crecen. Esta se puede sustituir por un rato de juego tranquilo.

Así, algunos niños de 3 o 4 años ya no tienen ganas de dormir la siesta, mientras que otros la siguen reclamando hasta los 7 años.

La observación de los niños de 2 años y medio revela que es una edad en la que los niños se duermen de forma bastante natural a primera hora de la tarde. Bostezan, parpadean, dan cabezadas... A sus padres no les costará nada proponerles que se acuesten y que les hagan caso.

Por lo general, el pequeño se dormirá antes si la habitación se encuentra ligeramente en penumbra y si no hay ruido.

Una buena siesta tiene una duración de media hora a 2 horas, al menos ese es el mínimo recomendado para los niños menores de 4 años. A partir de esa edad, la siesta se puede reducir media hora para que el organismo se recupere completamente. Lo ideal es que el niño se despierte siempre de forma natural.

Pero también hay niños que se niegan rotundamente a dormir la siesta. En ese caso es importante crear un oasis de tranquilidad. Aunque no se duerma, el pequeño puede jugar tranquilamente en la cama o en un lugar

Dormir una siesta a primera hora de la tarde no impide dormir las mismas horas por la noche, sino todo lo contrario. La falta de sueño en el niño se manifiesta al final del día a través de una fatiga nerviosa.

UN PEQUEÑO CONSEJO

Si vuestro hijo debe despertarse antes de que acabe la siesta, es preferible interrumpirle el sueño entre dos fases hablándole a media voz y acariciándole la mejilla o la mano. Si hace una mueca, esperad unos minutos, ya que su ciclo de sueño no ha concluido. Si soporta bien ese contacto, significa que va a abrir los ojos de un momento a otro.

semejante, donde podrá estirarse en cualquier momento.

Estos niños, aunque estén cansados, no se dejan vencer por el sueño. Se muestran irritables y gruñones, un comportamiento que les planteará algunos problemas a la hora de recuperar la tranquilidad propicia para el sueño. Tienen la impresión de que negándose a dormir la siesta son «mayores», como sus padres, que no se acuestan después de comer.

En realidad, los niños consideran ese tiempo de reposo una especie de alejamiento. Los padres siempre pueden tratar de convencer al niño de que se acueste diciéndole que está cansado y que a todos les sentaría bien un poco de tranquilidad. Así pues, conviene evitar que el niño se demore en el sofá del salón o delante de la televisión. Es mejor proponerle que se vaya a leer un cuento o a jugar tranquilamente a su habitación.

41

¿Son los niños de más de 2 años más sensibles al ruido que antes? ¿Hay que hacerlos dormir en el más absoluto silencio?

Al igual que los adultos, los niños se estresan con los ruidos, aunque todo depende de su intensidad. El umbral de 60 decibelios, correspondiente a una conversación animada o a un aparato de radio o televisión a medio volumen, ya resulta bastante molesto.

El zumbido del robot de cocina, del aspirador o de la batidora es un ruido contaminante. Una encuesta realizada a niños pequeños reveló que eran muy sensibles a los ruidos. Los pequeños hacen referencia con mayor frecuencia a los coches, las motos y la televisión como especialmente ruidosos.

Los padres piensan que una vez que el niño está en su habitación pueden poner la tele a todo volumen o hablar en voz alta. Sin embargo, conviene que el niño esté rodeado de silencio para poder percibir mejor sus pensamientos.

Estas criaturas seguramente dormirían mejor si la ventana de su habitación tuviera doble acristalamiento y si sus padres bajaran un poco el volumen del televisor o utilizasen cascos. El niño, para desarrollarse bien y no padecer los síntomas de la hiperexcitabilidad, necesita silencio. Un ambiente sonoro sin interrupción le resulta agotador.

Los niños emotivos pueden ver alterado su sueño por los ruidos del vecindario, ya procedan del piso contiguo o de la calle. Estos ruidos los asustan tanto que son incapaces de conocer su origen o de evaluar si se producen cerca o lejos. El niño no siempre es capaz de distinguir lo que está dentro y lo que está fuera. Sus padres pueden tranquilizarlo permitiéndole identificar esos ruidos molestos.

42 Desde que nuestro hijo va al colegio duerme mal. ¿A qué puede deberse?

Ir al colegio es un acontecimiento tan significativo en la vida de un niño que puede tener repercusiones más o menos importantes en su sueño. En la mayoría de los casos, el pequeño tarda en dormirse, pero con el tiempo supera esta dificultad.

La supresión de la siesta en el parvulario altera a algunos niños, que no logran adaptarse a un ritmo escolar diferente de su ritmo biológico. Estos pequeños arrastran un cansancio permanente. Un estudio realizado con niños escolarizados de 3 a 5 años revela que el 90 % de ellos se duermen de forma natural a primera hora de la tarde a los 3 años, y un 40 % lo hace a los 4 años, edad en la que la siesta ya se ha suprimido.

Por otro lado, entre un 20 y un 40 % de los niños de 6 años se duermen gustosamente a primera hora de la tarde, y un 10 % siguen necesitando dormir la siesta en el plano biológico. A partir de esa edad, está demostrado que la primera hora de la tarde es un momento propicio para dar una cabezada.

Cada vez hay más niños que padecen una deficiencia crónica del sueño. La frecuencia máxima de bostezos en los niños de primer curso de primaria se produce en torno a las 9 h de la mañana, cuando deberían estar descansados tras haber dormido toda la noche.

Los problemas escolares pueden provocar en el niño un estado depresivo que acarrea trastornos del sueño, así como alimentarios. El niño parece no sentir ya ningún interés por nada. Ese estado de ánimo suele desaparecer cuando llegan las vacaciones. Para prevenir el cansancio, el pequeño debe llevar un ritmo de vida regular, sobre todo en lo que respecta a los horarios de acostarse.

UN PEQUEÑO CONSEJO

Se debe seguir obligatoriamente una única consigna: mientras que el niño sea pequeño y no nos diga que volverá a casa con la mamá de un compañero, cuando salga del colegio hay que estar esperándole delante de la puerta, y eso no solo el primer día de clase. Las dificultades para dormirse propias de los niños que empiezan a ir al colegio nunca duran demasiado, apenas unas semanas.

No obstante, también existe una fatiga estacional del estudiante, que se hace patente con un sueño de mala calidad. Este trastorno surge en otoño, se magnifica en invierno y desaparece en primavera. El cansancio se debe a la dificultad para adaptarse a los días más cortos y a la falta de luz. Unos cuantos días de vacaciones al sol son suficientes para que el niño recupere la energía.

Ir a la escuela por primera vez, si no se ha asistido previamente a la guardería, también causa un

Los problemas escolares, el cansancio, los cambios de etapa o los cambios de colegio pueden influir en el descanso nocturno de un niño.

verdadero impacto en el niño. De la noche a la mañana, se encuentra en un lugar desconocido, en medio de una treintena de niños de su misma edad y con una maestra que no conoce. Si a eso se añaden unas horas «extraescolares», antes o después de clase, con otros niños y adultos diferentes, su desconcierto es mayor y sus noches angustiosas.

Este niño ha perdido sus referencias, ya que hay muchas personas desconocidas a su alrededor, cuando él sigue necesitando una importante estabilidad afectiva. El pequeño entra en un mundo totalmente, o muy extraño; todo le da miedo, incluso sus compañeros, que están tan asustados como él. Su integración y la desaparición de sus inquietudes diurnas y nocturnas dependen, en primer lugar, de la actitud de sus padres. Cuanto más convencidos estén ellos de que esa separación resulta beneficiosa para el niño, con mayor rapidez y mejor se adaptará el pequeño al colegio. Si un niño atraviesa un momento delicado en el plano familiar, como el nacimiento de un hermano pequeño o la separación de sus padres, es preferible matricularlo en el colegio más adelante. El niño no debe tener jamás la

sensación de que de ese modo nos estamos deshaciendo de él. De ser ese el caso, sería tal su

UN PEQUEÑO CONSEJO

Si el niño va a empezar el parvulario, conviene que unos meses antes el personal del centro organice una jornada de puertas abiertas. De este modo, los futuros escolares tienen tiempo de conocer el lugar donde vivirán y a las personas que cuidarán de ellos. Por otro lado, ¿por qué no dejarlos jugar un rato en el patio de recreo? Y antes de frecuentar el comedor escolar con regularidad, ¿por qué no darles la posibilidad de quedarse antes dos o tres veces?

Los padres deben estar convencidos de que el pequeño es totalmente capaz de separarse de ellos, aunque se muestre inquieto y duerma mal.

desconcierto que sus noches, y las de sus padres, estarían dominadas por las pesadillas.

Otros trastornos del sueño pueden aparecer un poco más tarde, cuando el niño ya lleva un tiempo en el colegio; por ejemplo, cuando aprende a leer, a contar o a escribir. En esos momentos se sentirá orgulloso de hacerlo bien, pero también inquieto respecto a su capacidad para pasar a la siguiente etapa. Un absoluto

convencimiento, al igual que una sobreestimulación, por parte de sus padres, pueden acentuar un posible trastorno. Los progenitores ayudarán a su hijo a conciliar el sueño si le valoran y le muestran todo su cariño.

A veces al niño también le puede sorprender la severidad de un profesor. Pero en ese caso también es extraño que las dificultades para dormir se prolonguen demasiado si en casa tiene a unos padres dispuestos a escucharlo. En ocasiones, la relación entre el colegio y el sueño es complicada si no se solucionan los conflictos ligados a la «fusión-separación» y si el niño no se siente apoyado y estimulado.

43 Tenemos la sensación de que nuestro hijo sueña mucho, ya que nos cuenta historias increíbles. ¿Es normal?

Incluso si el niño nos cuenta lo que sueña, es difícil saber si todo lo que dice es cierto. En realidad, es imposible saber qué hay de imaginario en su relato. Le gusta fabular y esta función es esencial para su desarrollo psíquico.

Algunos relatos claramente inventados pueden considerarse auténticas creaciones artísticas. Los psicólogos creen que antes de los 7 años el niño no miente. Según algunos estudios, el comienzo de las alucinaciones oníricas se produce hacia los 4 años. Otros especialistas afirman que no se puede hablar realmente de sueños antes de los 5 años, momento en que el niño ha

Los mejores sueños son aquellos que el niño no recuerda y que mantienen al pequeño en la más absoluta tranquilidad. Así pues, si el niño dice que no ha soñado significa que ha dormido perfectamente.

adquirido la capacidad del pensamiento simbólico.

En cuanto al recuerdo del sueño en sí, son necesarias la maduración y la reflexión para que el niño distinga el sueño de la realidad. Las niñas pueden recordar parte de lo que han soñado a partir de los 3 años y medio, y los niños de los 4 años y medio. Esta diferencia se

Los sueños favorecen el desarrollo psíquico de los niños y, a veces, sirven para conocer sus miedos y temores.

debe, al menos hasta los 6 años, a un desarrollo intelectual más rápido en las niñas que en los niños.

Hasta los 5 años, los pequeños suelen evocar imágenes estáticas, principalmente de animales. Parecen ser más espectadores de sus sueños que actores y casi nunca manifiestan haber sentido una emoción. Entre los 5 y los 7 años, las imágenes se ponen en movimiento y el sueño empieza a asemejarse al del adulto.

El niño vive sus sueños como vive la realidad. Para él, los sueños le brindan la ocasión ideal para hacer realidad todos aquellos deseos que no puede satisfacer cuando está despierto, para resolver los problemas con los que se ha podido encontrar durante el día, sobre todo los conflictos con sus padres, y especialmente con su madre. El pequeño hace uso del principio de compensación que ofrece el sueño, se desahoga, y, en este sentido, los sueños más alocados son los mejores, los más equilibrantes y tranquilizadores. La actividad cerebral permite que su organismo se relaje psíquicamente. Se ha observado

UN PEQUEÑO CONSEJO

Para captar el sentido del sueño que ha tenido el niño, hay que pedirle que nos explique las formas, los objetos o los personajes que aparecían en él. También se le debe preguntar sobre los colores que ha visto. Ahora bien, este ejercicio debe considerarse meramente un juego. Vuestro papel no consiste en realizar un psicoanálisis, sino en dejar que vuestro pequeño libere de ese modo su mundo interior, sus miedos, sus deseos, sus alegrías y sus sufrimientos.

que cuanto más estrés sufre el niño durante el día, más numerosos y desbocados son sus sueños, y más aumenta la duración del sueño paradójico.

El niño sueña más que el adulto. De este modo madura y construye su propia personalidad, más aún cuando el sueño le permite invertir fácilmente los papeles respecto a lo que es habitual en los pequeños. En sus sueños, el niño se convierte en el más alto, el más fuerte y el que siempre vence. Según algunos especialistas, el sueño confiere armas al pequeño para soportar mejor el peso de la vida real, con sus obligaciones y sus aprendizajes.

El contenido de lo sueños suele elaborarse a partir de lo que el niño ha vivido recientemente, sobre todo de lo que ha sentido en las horas previas a acostarse. Sus sueños constituyen la ampliación de la actividad psíquica del día. Al interrogar científicamente a los niños sobre sus sueños, se ha descubierto que los primeros de la noche son los más angustiantes y los más desagradables. A medida

que va avanzando la noche, los sueños resultan más tranquilos y alegres, y los de la mañana permiten expresar sentimientos.

Cuanto más crece el niño, más evocan sus sueños los libros que ha leído o los programas de televisión que ha visionado. Asimismo, su implicación también aumenta con la edad, hecho que conlleva reacciones afectivas tanto en sus sueños como en sus recuerdos al despertar.

El hecho de que el niño nos cuente lo que ha soñado nos ofrece un verdadero instante de complicidad con él. El mejor momento para escucharlo contar sus sueños es por la mañana, a la hora del desayuno, cuando tiene los recuerdos frescos e intactos. Cada historia o aventura relatada encierra un mensaje procedente de lo más profundo de su inconsciente. Los padres y el niño se divertirán descifrándolo. Los más pequeños, si todavía no poseen un buen dominio del vocabulario, siempre pueden dibujar lo que han soñado.

44 ¿Pueden los sueños de nuestro hijo verse alterados por lo que visiona en la televisión?

Los sueños se construyen a partir de las experiencias vividas por cada individuo, ya sea un adulto o un niño. Por tanto, el espectáculo televisivo forma parte de dichas experiencias.

Un estudio realizado a partir de la proyección de películas revela que los filmes estresantes provocan en el niño un mayor número de sueños espontáneos durante el sueño paradójico, con movimientos oculares más evidentes. Además, se observa que aquellos que tienen sueños angustiosos durante la noche están más ansiosos al día siguiente. La televisión

ofrece a los niños bastantes imágenes violentas, ya sea en las películas (aunque no estén catalogadas como violentas) o en los informativos.

El telediario suele visionarse en familia, a la hora en la que todo el mundo se sienta a la mesa para cenar. Las escenas de violencia en las que aparecen cuerpos humanos desmembrados, brazos y piernas arrancados, y manchas de sangre que tiñen de rojo la pequeña pantalla sin que se sepa realmente si esa sangre procede de una herida son imágenes verdaderamente traumáticas.

Dichas imágenes hacen creer al niño que el cuerpo humano se puede cortar fácilmente en pedazos, sin experimentar sufrimiento alguno, y que la sangre puede fluir sin ningún motivo. Hacen tambalear el esquema corporal que el niño ha tardado meses en forjarse, ese puzzle creado con paciencia a partir del conocimiento parcelario de cada una de las partes de su cuerpo.

Hacer que el niño visione cada noche «sus dibujos animados» antes de acostarse suele formar parte de los rituales para acostarlo. La televisión, si se emplea de una manera adecuada, constituye una buena herramienta.

delante de la pantalla, se aparta de la realidad y vive la imagen intensamente. Disfruta del espectáculo al máximo, de ahí la importancia de la calidad de lo que ve.

Si algunos dibujos animados violentos fascinan a los niños de 3 a 5 años, es porque tratan viejos temores. Para no resultar traumáticos, los dibujos animados deben tener un final feliz. Los más destructivos a nivel psíquico son aquellos que no tienen un hilo conductor, ni un principio ni un final, y que pueden resumirse como una sucesión de escenas traumatizantes que producen más o menos miedo. Estas imágenes resultan aún más angustiosas si el niño las visiona solo o con sus amigos, caso este último en el que un niño siempre tiene más miedo que el otro.

Las historias de miedo no producen este efecto si las narra un adulto, cuya presencia tranquiliza al pequeño. Distinguir lo verdadero de lo falso exige un largo aprendizaje que el niño todavía no ha adquirido a esta edad. Sus padres están ahí para informarle, ya que él no puede identificar lo que es real, pues solo conoce aquello que se basa en sus experiencias personales. Los pequeños se sienten fascinados por la pequeña pantalla desde muy niños, e incluso algunos tienen un televisor para ellos solos. La televisión ejerce gran influencia sobre ellos, modela su sensibilidad y desarrolla su interés. Con 3 o 4 años, el niño se aísla

Asimismo, se ha podido constatar que demasiadas emociones provocan en el niño un estrés considerable. Este estado hará que al pequeño le cueste más dormirse y que sus sueños, probablemente, estén dominados por pesadillas.

UN PEQUEÑO CONSEJO

La televisión no es una buena canguro. El niño solo puede visionarla un buen rato si está acompañado de sus padres, que son los únicos capaces de elegir una programación adecuada para el pequeño telespectador.
No todos los niños tienen la misma emotividad y esta suele variar según su estadio de desarrollo.

45 Nuestro hijo se despierta muchas veces en mitad de la noche porque tiene pesadillas. ¿Qué actitud debemos adoptar?

Numerosos acontecimientos pueden provocar pesadillas, hasta el punto de que podría decirse que son normales en la vida del pequeño. Si resultan muy espectaculares, y a menudo perturbadoras, es porque el niño las vive intensamente.

Al igual que los sueños, las pesadillas se producen siempre durante el sueño paradójico. Agitan las noches del pequeño y generan los temores irracionales que amargan sus días. El miedo aparece a partir de los 3 años.

Entre los miedos más comunes que dominan las pesadillas de los niños se encuentra el miedo a ciertos animales y a su mordedura. Esta sensación es natural y tiene su origen en los sentimientos agresivos del niño que necesita morder y arañar cuando está inquieto o contrariado. El niño se siente muy próximo al animal; para el pequeño, el animal tiene unos sentimientos idénticos a los suyos. Las pesadillas en las que intervienen animales familiares pueden ser el resultado de una experiencia que ha causado cierta impresión en el pequeño, como ver a un perro guardián abalanzarse sobre la verja para ladrar a alguien que pasa por la calle o presenciar los bufidos de una pelea de gatos.

Pero las pesadillas también pueden constituir la manifestación de un temor más banal: el miedo a la multitud, a sentirse amenazado, a creer haberse perdido, a un ruido violento inesperado, etc. El niño, a veces considerado de manera equivocada un adulto, suele tener muchas dificultades para vivir en el mundo

Obviamente, cualquier conflicto que se produzca entre el niño y sus padres, sobre todo con su madre, puede alterar el sueño del pequeño. Al hacer las paces con él, los padres favorecen su sueño, al mismo tiempo que ahuyentan los malos sueños.

de los adultos. Sucede también que los niños que empiezan a ser voluntariosos, coléricos e incluso autoritarios, que viven a través de sus pesadillas situaciones de castigo, o al menos de gran oposición a sus deseos. Su agresividad diurna se vuelve contra ellos en sus sueños.

El niño de 3 o 4 años también atraviesa lo que los psiquiatras denominan *la fase edípica*. El pequeño no se encuentra bien consigo mismo, ya que alberga sentimientos contradictorios con respecto a sus padres, y se halla dividido entre el amor y los celos.

Las personas más propensas para tener pesadillas son aquellas que no logran expresar lo que sienten con palabras y hablan menos durante el día. Cabe destacar que no resulta nada fácil estar locamente enamorado de uno de los padres y seguir unido al otro, que se ha convertido en su rival. Con lo cual, en cierto modo, es normal que el pequeño tenga pesadillas.

De este modo, sus noches se llenan de personajes y animales peligrosos que simbolizan al progenitor con el que el pequeño rivaliza durante el día. Aunque el niño sea más o menos capaz de controlar sus celos durante el día, por la noche, la situación es completamente distinta. Evidentemente, no hay que olvidar que cualquier situación estresante puede hacer que tenga pesadillas, ya sea el nacimiento de un hermanito, un traslado, el divorcio de sus padres o incluso la vuelta al cole.

Algunos niños están tan aterrorizados por sus pesadillas que no quieren irse a la cama por nada del mundo, convencidos de que, en cuanto cierren los ojos, estas comenzarán a aparecer. Como a esta edad es imposible distinguir el sueño de la realidad, los monstruos devoradores, los objetos peligrosos, los perros feroces y las personas malas se convierten básicamente en una amenaza. Es raro que los niños recuerden con precisión lo que han soñado; sin embargo, retienen en su memoria los sentimientos de angustia que han experimentado.

Como todos los padres han tenido pesadillas durante su infancia, saben que el niño necesita que el adulto lo reconforte para conciliar un sueño reparador. Unas cuantas palabras tranquilizadoras, un beso, su muñeco de peluche y la sensación de una presencia protectora a su lado suelen ser suficientes para calmarlo. A veces, el niño pide un poco más y hay que mirar debajo de la cama y abrir los armarios para comprobar que no existe nada inquietante en su habitación.

UN PEQUEÑO CONSEJO

Para liberarse de una pesadilla hay que contarla. Si el niño se despierta angustiado, dadle tiempo para que os cuente lo que ha soñado y tranquilizadlo, ya que vosotros sois unos cazadores de dragones y de brujas experimentados. El pequeño puede contar con vosotros y volver a dormirse tranquilamente.

Otra opción para tranquilizar al niño si está muy asustado consiste en dejar una lamparilla encendida en la habitación. Pero la mejor manera de que halle un poco de calma si se siente aterrorizado por sus pesadillas es hacerle hablar de ellas. En ocasiones, a algunos niños les resulta más fácil dibujar lo que han soñado.

46 ¿Qué diferencia existe entre las pesadillas y los terrores nocturnos?

El terror nocturno es un estado bastante curioso entre el sueño y la vigilia. Surge a primera hora de la noche, unas dos horas después de dormirse, justo cuando termina el primer ciclo de sueño profundo y todavía no ha comenzado la fase de despertar ligero.

El niño se incorpora en la cama, empieza a gritar o a pronunciar palabras más o menos incomprensibles. Algunos se agitan con violencia e incluso se levantan de la cama. El niño no parece haberse despertado, pese a tener los ojos abiertos y la mirada perdida. Su corazón late con mayor rapidez, su respiración se

Tan solo los terrores nocturnos que persisten más allá de los 6 años deben ser objeto de consulta médica.

Los terrores nocturnos siempre se evocan en plural. En este sentido, la mayoría de los niños, hacia los 3 o 4 años, sufren dos o tres episodios, pero otros, en cambio, incluso pueden llegan a tener varios en una misma noche. Los terrores nocturnos no revisten gravedad alguna y no son síntoma de ningún trastorno cerebral ni psicológico. Impresionan mucho a los padres, que no saben cómo ayudar a su hijo a superarlos. Pero justamente se aconseja no hacer nada, no despertar al niño; hay que dejar que siga soñando, ya que el episodio cesará por sí mismo. Si el pequeño está muy agitado, es preferible alejar de él todos los objetos que podrían resultarle peligrosos.

Es mejor no hablar al niño al día siguiente de sus terrores nocturnos para que no se preocupe, ya que no recordará nada. La mejor manera de prevenir los terrores nocturnos consiste en dejar que el niño duerma las horas necesarias sin ningún tipo de interrupción y que duerma la siesta.

acelera y a veces incluso está empapado en sudor. Consolarlo y reconfortarlo resulta prácticamente imposible y por lo general el niño se duerme de nuevo sin ni siquiera haberse despertado.

47 ¿Se encariña un niño con su habitación? ¿Qué puede hacerse cuando debe compartirla o cambiarla por otra?

Con la edad, el niño cada vez es más sensible al rincón que le ha sido reservado en la casa. Cuanto mayor se hace, menos le gusta que sus padres lo visiten, incluso que ordenen su habitación.

Si vuestro hijo tiene una habitación para él solo, os pedirá decorarla con sus propios dibujos o con

imágenes que él mismo escoja. El pequeño se sentirá totalmente a salvo si la habitación se encuentra en el centro de la casa, en la misma planta que duerme el resto de la familia. Durante mucho tiempo querrá dormir con la puerta abierta. Para él, lo ideal sería que la puerta tuviera acceso a vuestra habitación o a la sala de estar, ya que odia el pasillo, un lugar a menudo oscuro donde surgen los fantasmas. Es probable que aunque crezca os siga pidiendo que le dejéis una lamparilla encendida, ya que la luz le tranquilizará si se despierta por la noche y guiará sus pasos si necesita ir al baño.

A partir de los 3 años, el niño puede decidir dónde colocar los muebles de su habitación y dónde prefiere dormir. Darle la opción de escoger será una buena manera de hacer desaparecer ciertos trastornos del sueño. Ese lugar es suyo, de modo que puede participar en la elección del color de las paredes o del revestimiento del suelo. Si la habitación es espaciosa, seguramente os pedirá que pongáis otra cama para que de vez en cuando pueda quedarse a dormir algún amigo. Su habitación es su universo, y el niño manifestará las ganas de jugar en ella, lejos de vuestra atenta mirada, sobre todo cuando sus amigos vayan a visitarlo.

Compartir la habitación con un hermano o una hermana exige cierta organización. Para que no exista ningún problema, es preferible separar la habitación en dos espacios perfectamente delimitados para que de ese modo cada uno tenga el suyo. Cada niño tendrá su propia lamparilla junto a la cama. Un pequeño escritorio que él elija, un rincón para los juguetes o simplemente un baúl pueden ser suficientes para delimitar los espacios, siempre que dichos objetos sean solo suyos.

Mucho más complicado resulta distribuir el espacio entre varios niños. Una posible solución consiste en crear una habitación para los pequeños y otra para los mayores. Este reparto no responde obligatoriamente a las afinidades, pero a los niños les gusta. Seguramente se divertirán mucho. ¡Y si son madrugadores quizá incluso demasiado!

Otra posible solución radica en juntar a pequeños y mayores. A los primeros, la presencia de los mayores los tranquiliza y les permite dormir apaciblemente. Sin embargo, a los mayores no les resulta tan divertida esta situación, sobre todo si deben compartir la habitación con un hermano pequeño que resulta demasiado curioso.

¡Sorprendente! Algunos niños parecen tener el mismo apego a las paredes de su habitación que a su objeto transicional (su muñeco de peluche).

El grado de apego que tiene el niño a su habitación puede apreciarse claramente cuando el pequeño está obligado a cambiarse a otra. Se ha de tener en cuenta el valor afectivo que atribuye a su habitación y prepararlo en caso de traslado. Son pocos los niños que aprecian semejante acontecimiento, ya que ocasiona demasiados cambios de referencias y provoca bastantes trastornos del sueño. En ese caso, recrear el ambiente de su habitación «anterior» constituye un factor tranquilizador para el niño. Sin duda, el dormitorio del niño es una de las primeras habitaciones de la vivienda que hay que amueblar.

El cambio de habitación motivado por unas vacaciones también puede provocar trastornos del sueño. Los padres suelen creer que las alteraciones

UN PEQUEÑO CONSEJO

Es preferible no acostar al niño en una habitación que no esté amueblada, sobre todo si la nueva residencia es una casa antigua con las paredes desconchadas, un suelo que cruje y un papel pintado amarillento y de olor desconocido.

A los niños les gusta reconocer parte de su antigua habitación en la nueva, ya sea a través de una disposición similar de los muebles o de la presencia de objetos familiares.

suelen deberse al cambio de clima o de altura. En realidad, el niño tardará un tiempo en encontrar sus referencias, ya que no sabrá dónde duermen sus padres, no reconocerá los ruidos familiares, el lugar tendrá un olor diferente y las sombras nocturnas en las paredes le resultarán desconocidas e incluso amenazadoras.

Para facilitar la adaptación, suele resultar eficaz dejar que el niño se lleve consigo algunos objetos, como su edredón o su almohada, y, por qué no, su lámpara de cabecera.

UN PEQUEÑO CONSEJO

Hacia los 4 o 5 años, los niños son sensibles al cambio de domicilio. Al niño le cuesta mudarse. Para facilitarle el mal trago, convertidlo en un pequeño mozo de mudanzas y pedidle que empaquete sus pertenencias. Es indispensable que se lleve a su nueva casa y a su nueva habitación parte de sus muebles y objetos antiguos, portadores de la mayoría de sus secretos.

Si un niño va a dormir lejos de su cama es importante que se lleve algo de su habitación, como su peluche favorito.

48 Nuestro hijo todavía se chupa el dedo para dormir. ¿Debemos impedírselo?

Chuparse el dedo con más de 2 años no tiene nada de excepcional. El ritmo de la succión permite que el niño se relaje, que se libere de sus tensiones para hallar una gran paz interior.

De este modo, el pequeño lucha contra una profunda sensación de soledad o de desamparo, e incluso de temor. Tal vez los niños tímidos y emotivos se chupen más el dedo que el resto. Lo que es cierto es que las niñas parecen cansarse antes que los niños. Algunos psicólogos creen que los varones demuestran con ello cierta dificultad para relacionarse con su padre. Un poco más de proximidad, de atención, de ternura y de valoración pueden ayudar a tranquilizar a estos niños.

Chuparse el dedo también puede marcar una regresión momentánea (debido al nacimiento de un hermano o a una separación prolongada de los padres). Solo existe un caso que debe ser motivo de preocupación: el del niño que se chupa el dedo todo el día, apartado de los demás, que no juega, no participa en nada y parece soñar despierto. Sin embargo, en la mayoría de los casos, este gesto de consuelo desaparecerá de forma espontánea, aunque a veces muy tarde, ya casi en la adolescencia. ¡De modo que paciencia! Cualquier exigencia para acabar con este gesto está condenada al fracaso. Las reprimendas y las burlas le hacen desgraciado y van en contra de la única solución para que deje de chuparse el dedo: hacer que se sienta seguro.

Los niños que ven alterado de alguna forma su pequeño mundo pueden volver a los hábitos ya olvidados, como chuparse el dedo.

Los padres tienen que aceptar las pequeñas manías de su hijo y dejar que sea él quien las combata. Poco a poco las irá perdiendo, a menudo al ver que sus amigos desde hace mucho tiempo dejaron de chuparse el dedo.

49 Mi marido de pequeño era sonámbulo. ¿Lo será también nuestro hijo?

Este trastorno del sueño ha aparecido en muchas películas de fantasía. Sin embargo, no tiene nada de fantasioso. El sonambulismo es hereditario y suele afectar a los niños de más de 6 años que pasan por un periodo de estrés psicológico.

Es preferible intentar guiar al niño sonámbulo de vuelta a la cama. No pondrá mucho reparo en acostarse de nuevo y retomará el curso normal del sueño.

El niño sonámbulo es capaz de moverse y de desempeñar actividades habituales pese a estar profundamente dormido. Tiene los ojos abiertos de par en par y camina con un paso más o menos seguro. Se encuentra en una fase de sueño lento, de modo que no sueña lo que hace. El sonambulismo es más frecuente durante las primeras horas de la noche, cuando las fases de sueño lento son largas. El pequeño no es consciente de lo que hace, motivo por el cual al despertar no conservará ningún recuerdo de ello.

No todos los niños son sonámbulos de la misma manera. Algunos se levantan de la cama, dan unos cuantos pasos por su habitación y vuelven a acostarse. Otros se pasean por toda la casa, suben y bajan escaleras y abren y cierran las puertas y las ventanas que están a su alcance. Otros incluso cambian de lugar algunos muebles pequeños de su habitación, sacan sus juguetes o los ordenan, dando muestras de una excelente coordinación de sus gestos. En realidad, en este estadio del sueño, el tono muscular está intacto. Estos episodios de actividad duran como media unos quince minutos. No es extraño que los niños sonámbulos sean también los que tengan terrores nocturnos con frecuencia y los que necesiten balancearse para conciliar el sueño. En todos estos casos, el trastorno se debe a la dificultad para pasar de un ciclo de sueño a otro o incluso de una fase a otra.

Pese a que según reza el dicho popular es peligroso despertar a un sonámbulo, los padres pueden despertar al niño, sobre todo si corre algún peligro, pero no tienen por qué hacerlo si el pequeño no corre ningún riesgo. Además, algunos niños muestran cierta agresividad cuando se trata de despertarlos.

UN PEQUEÑO CONSEJO

El único tratamiento que existe para este trastorno es la prevención: los padres deben velar por la seguridad de su hijo sonámbulo; para ello, deben bloquear las escaleras, cerrar todas las ventanas a cal y canto, evitar dejar a su alcance objetos peligrosos y retirar las alfombras y los objetos depositados en el suelo. Para estar al tanto de los paseos nocturnos del pequeño, conviene colgar una campanilla en la puerta de su habitación.

50 Aunque nuestro hijo se acueste a una hora prudente, nos cuesta mucho despertarlo para que vaya al colegio. ¿No dormirá demasiado?

Son pocos los niños que padecen este síndrome y pocos los padres que se quejan de ello, a veces injustamente. Si el niño no logra despertarse de forma natural tras haber dormido bien y durante muchas horas, es que oculta algo.

Puede tratarse de una depresión, una enfermedad que actualmente se sabe que también afecta a los más pequeños. La depresión conlleva trastornos del sueño muy diferentes según los niños: algunos se encierran en el sueño y duermen mucho para aislarse de este modo del mundo, mientras que otros, por el contrario, sufren insomnio. A algunos niños les cuesta mucho dormirse. Por la noche pasan muchas horas en la cama despiertos y en silencio, y por la mañana tratan de recuperar esas horas de sueño. Entonces les cuesta mucho levantarse para cumplir con sus obligaciones escolares.

El hipersomnio en el niño en edad escolar suele ser muestra de la dificultad que tiene el pequeño para separarse de su familia e integrarse en la vida colectiva de la escuela. Cuando está en el colegio, el niño tiende a aislarse e incluso a veces llega a decir que está cansado y a dormirse.

El pequeño puede desarrollar una verdadera fobia escolar que manifiesta durmiendo. El colegio le produce miedo e inconscientemente se refugia en el sueño. La fobia puede surgir de una verdadera dificultad escolar,

UN PEQUEÑO CONSEJO

Un niño depresivo reclama la atención de sus padres, quienes deben intentar hablar con él sobre lo que le preocupa. Algunos niños tal vez prefieran explicar su malestar a una tercera persona, ya sea el psicólogo del colegio o su pediatra.

El niño que no se alegra de abandonar su cama atraviesa un periodo difícil y necesita ayuda, ya que sufre una angustia seria. Esta casi siempre se debe a una sensación de inseguridad.

como aprender a leer, pero también puede deberse a una mala integración en el grupo, a menudo por una diferencia sin importancia, pero que provoca la exclusión.

Por último, el estado depresivo del niño puede ser el reflejo de una depresión parental o de una gran tensión en la familia.

¿Cómo superar la enuresis?

Para ayudar a vuestro hijo a progresar, es indispensable que le enseñéis cómo funciona su vejiga. El pequeño debe conocer la sensación que provoca una vejiga llena. Cuando tenga ganas de orinar, pedidle que se aguante primero 5 minutos, luego 10 y luego 15. Se precisarán varios días para que lo consiga. Cuando logre controlar completamente sus esfínteres, podrá continuar el entrenamiento bebiendo más líquido que de costumbre.

El segundo paso consiste en aprender a controlar la micción. En primer lugar debe aprender a detener la micción mientras está orinando, primero una vez, luego dos veces y, por último, tres veces. Este juego suele gustar bastante a la mayoría de los niños. El objetivo de este ejercicio consiste en enseñar al pequeño que es su voluntad, y por lo tanto su cerebro, quien controla las micciones y que también es capaz de hacerlo por la noche, mientras duerme.

Se podrá considerar que el niño ha superado la enuresis cuando pasen 2 semanas sin mojar la cama.

El cuadro de la página siguiente está ideado para que el niño se responsabilice de su enuresis, ya que, independientemente del carácter de los padres, permisivos o represivos, es él quien debe querer dejar de hacerse pipí en la cama y conseguir los medios necesarios para ello. Obviamente, este cuadro debe utilizarse a modo de juego, y a ser posible debería rellenarlo el propio niño. Los dibujos le mostrarán sus avances diarios y facilitarán una posible consulta posterior al pediatra.

Un cuadro en el que predominen los soles hará que el niño se sienta muy satisfecho y le ayudará a recuperar su autoestima, a menudo resentida en el niño enurético. Cada noche que pase sin mojar la cama será celebrada como un pequeño triunfo y le animará a seguir adelante.

Nombre: ....

Edad: ....

	Semana 1	Semana 2	Semana 3	Semana 4
Lunes				
Martes				
Miércoles				
Jueves				
Viernes				
Sábado				
Domingo				

Indica con soles las noches en que el niño no se hace pipí y con nubes las noches que moja la cama.

El sueño en las distintas etapas

A los 10 días
- El bebé duerme mucho: unas 16 horas al día, aunque se despierta cada tres o cuatro horas.
- Las tomas de leche marcan el ritmo del sueño del recién nacido.
- No distingue entre el día y la noche.
- En algunos momentos, cuando está despierto, se encuentra tranquilo, con ojos de curiosidad.
- En otros momentos se muestra intranquilo y llora con mucha facilidad por causas diversas: hambre, la agitación del día, molestias, cansancio...

Al mes
- Se alarga la fase del sueño nocturno.
- De día, los periodos en los que el bebé está despierto se prolongan.
- Empieza a distinguir entre el día y la noche.
- Por la tarde, el bebé llora a la misma hora todos los días y nada le consuela.
- En ocasiones, este llanto se atribuye a cólicos, aunque probablemente se deba más a un exceso de nerviosismo.

A los 4 meses
- El bebé puede dormir seguido toda la noche y ya no se despierta, aunque esto no se cumple en todos los niños.
- Se duerme con facilidad y suele caer en un sueño más profundo.
- Es posible que necesite un chupete o chuparse el dedo pulgar para tranquilizarse. Es capaz de encontrar otros recursos para dormirse solo.

A los 6 meses
- Las fases de sueño se han estabilizado, aunque no es igual para cada niño.
- Duerme entre 10 y 12 horas por la noche.
- Por la tarde hace una siesta de entre 2 y 3 horas.
- Por la mañana puede llegar a dormir una hora más.

A los 8 meses
- Por la noche el bebé duerme de 10 a 12 horas de forma profunda.
- La siesta de la tarde dura de 2 a 3 horas.
- Por la mañana ya no suele dormir.

A los 12 meses
- El niño duerme entre 10 y 12 horas, se despierta una vez por la noche, pero vuelve a dormirse.
- Es un sueño más agitado y menos profundo.
- Sigue haciendo una siesta de unas 2 horas.

A los 18 meses
- El niño suele dormir entre 10 y 12 horas por la noche.
- La siesta sigue durando unas 2 horas.
- El sueño suele ser agitado. A esta edad, el niño vive un periodo de aprendizaje intenso.
- Aparecen las pesadillas y los terrores nocturnos.

A los 2 años
- De noche, el niño sigue durmiendo de 10 a 12 horas.
- El sueño es agitado.
- Persisten las dificultades para dormirse, ya que las pesadillas aparecen con frecuencia.
- La siesta dura unas 2 horas.
- A esta edad, el niño sigue necesitando un ritmo de vida equilibrado, con las comidas a la misma hora cada día.

A los 3 años
- El niño duerme de 10 a 12 horas por la noche.
- Suele hacer siestas de unas 2 horas. Los colegios de educación infantil respetan esta costumbre, aunque a esta edad algunos niños ya no desean dormir al mediodía.
- Las dificultades para irse a dormir y las pesadillas son frecuentes.

De los 4 a los 6 años
- Los niños duermen profundamente unas 10 horas por la noche.
- Algunos duermen una siesta de 1 o 2 horas, pero la mayoría abandonan esta costumbre definitivamente.

Glosario

Anatomía

El sueño evoluciona a lo largo de toda la vida, pero los mayores cambios se producen desde que el individuo tiene 1 día hasta que cumple 3 años. Gracias al estudio de la actividad eléctrica del cerebro, se ha podido evidenciar la anatomía del sueño: el sueño lento y el sueño paradójico.

El sueño lento representa entre un 75 y un 80 % del tiempo de sueño en el adulto, pero menos en el niño. Se divide en varios estadios. El primero corresponde al adormecimiento y el segundo al sueño ligero, que puede verse interrumpido fácilmente por un elemento procedente del exterior, como un ruido.

Los dos estadios siguientes pertenecen a un sueño profundo y se reconocen por una inmovilidad casi absoluta. El pulso y la respiración son lentos, pero el tono muscular todavía es marcado.

A continuación aparece el sueño paradójico. Se denomina de este modo porque es al mismo tiempo profundo y muy activo, ya que en él se producen muchos movimientos. Además, la grabación de la actividad cerebral durante el sueño paradójico revela que resulta bastante similar a la que se produce en estado de vigilia. El pulso y la respiración son rápidos, y los ojos se mueven bajo los párpados, mientras que el tono muscular es bajo. Esta es la fase en la que se producen los sueños.

Tan solo se recuerdan los sueños que tienen lugar en la última fase del sueño paradójico, justo antes de despertar.

Cuna

Todos los niños comienzan su vida en una cuna. Sea esta de compra o un préstamo que pasa de generación en generación, debe cumplir varias normas de seguridad.

Debe tener una buena estabilidad y unos travesaños sólidos y con la separación adecuada, además de una profundidad suficiente para evitar que si el bebé es un poco movido salte por encima.

El colchón debe ser preferentemente duro, de fibra vegetal, de espuma o de muelles. El niño no debe hundirse en él. El colchón también debe adaptarse al tamaño del somier. El pequeño debe dormir sin almohada para mantenerse en posición totalmente horizontal y evitar de este modo cualquier riesgo de asfixia y de alergia. No se le ha de cubrir con ningún edredón, en todo caso con una manta, aunque lo más seguro es un saquito.

Se puede dejar al bebé nada más nacer en una cuna. Los bebés que se encuentran un poco perdidos en este espacio suelen acomodar la cabeza en un rincón, contra los barrotes. No hay por qué preocuparse ni cambiarlo de posición. El niño únicamente busca un contacto duro, que se asemeje al útero materno que ha abandonado, y, además, su cabeza es lo bastante sólida para soportar la dureza de los barrotes de madera. La cuna puede completarse con una colcha, siempre que permita al niño explorar su entorno tranquilamente.

La cuna se convierte en un artículo indispensable hacia los 6 meses, cuando el niño necesita espacio para estirar los brazos y las piernas, así como para empezar a gatear cómodamente. Es preferible adquirir una que cumpla las exigencias de seguridad europeas, en cuyo caso aparecerá en el etiquetado. Dichas normas definen la profundidad de la cuna (58 cm entre la barra del somier y la parte superior de la barrera para que el niño no pueda saltar por encima). Esta etiqueta es garantía de calidad. Su presencia indica el uso de barnices y pinturas no tóxicos y la inaccesibilidad por parte del niño a los tornillos. Por último, entre los barrotes debe existir una separación de 60 o 75 cm para que el niño no pueda pasar la cabeza ni las piernas entre ellos.

A todo ello, hay que añadir sistemas de seguridad en los modelos con barrotes abatibles y frenos en aquellos provistos de ruedas. Es preferible escoger una cuna cuyas patas sean regulables. En primer lugar, nos evitan tener que inclinarnos demasiado para coger o dejar al niño mientras aún sea pequeño; en segundo lugar, evitan cualquier tipo de caída cuando, hacia los 2 años, el niño intenta salir solo de la cama.

El colchón debe ser bastante duro. Por motivos de seguridad, debe ocupar totalmente el espacio del somier, por lo general de láminas, cuya separación también está normalizada. La mayoría de estos somieres tienen dos posiciones: una alta y otra baja. En cuanto el niño se mantiene sentado se ha de adoptar la segunda posición por motivos de seguridad. La cuna, abierta por un lado, puede resultar útil hasta que el niño ha cumplido 4 años.

A esa edad, el niño tendrá el privilegio de dormir en una cama «para mayores», de 90 cm. Para evitar que se caiga de ella víctima de un sueño agitado, se le puede poner alguna barrera. El colchón debe ser duro para que de este modo el pequeño, en el futuro, tenga una espalda fuerte. Le corresponderá al niño decidir si quiere una almohada o no, pero a vosotros elegir entre una cama tradicional, con sábanas y mantas, o un edredón nórdico, tan apreciado por muchos niños.

La cuna de viaje resulta indispensable hasta los 3 o 4 años, sobre todo por motivos de seguridad, ya que el niño puede caer en la tentación de ir en busca de un nuevo entorno, no siempre carente de peligros. Para este tipo de material también existe una normativa europea. La cama debe ser totalmente estable por si el niño comienza a saltar en uno de los bordes. Si la cama está abierta y tiene el colchón colocado, el pequeño no debe poder acceder al sistema de plegado. La fiabilidad del material quedará demostrada a través de una resistencia a 500 operaciones de plegado y desplegado.

Si tenéis que improvisar una cama para vuestro bebé, no dudéis en acostarlo en el suelo sobre una manta, rodeado de cojines o de almohadas que delimiten el espacio. De esta manera evitaréis los peligros derivados de una cama inadecuada, como las caídas o la asfixia. Y no os preocupéis, su espalda soportará sin problemas la dureza de esa cama improvisada.

Ciclo

El tiempo de descanso se divide en ciclos constituidos por sueño lento y sueño paradójico. Entre cada ciclo existe un espacio de tiempo muy breve en el que la persona que duerme no es consciente, pero puede despertarse con facilidad.

Por lo general, en el adulto, el adormecimiento tiene una duración de 10 min. Este va seguido de 1 h a 1 h 40 min de sueño lento y luego de 10 a 15 min de sueño paradójico. Así pues, el ciclo de sueño tiene una duración total de entre 1 h 30 y 2 h. El ciclo de sueño se repite cada noche un promedio de entre 4 y 6 veces, dependiendo del sueño de cada individuo.

El bebé, en cuanto nace, experimenta dos tipos de sueño, uno tranquilo y otro agitado. En el primero, el bebé no se mueve, salvo algún pequeño sobresalto. Su respiración y sus latidos son relajados. Este sueño tiene una duración de 20 min y es comparable al sueño lento profundo del adulto. El sueño agitado se caracteriza por movimientos de las manos, los dedos, los pies y las piernas. El niño estira todo su cuerpo, bosteza e incluso emite pequeños gritos. Mueve los párpados y puede llegar a entreabrir los ojos, hecho que produce la sensación de estar a punto de despertarse. El pequeño realiza muchísimas muecas. Su respiración y su ritmo cardiaco son rápidos. Sin embargo, su cuerpo no está rígido. Este tipo de sueño dura aproximadamente 25 min, algunas veces menos, 10 min, y otras más, 45 min, y se asemeja al sueño paradójico.

Entre estos dos tipos de sueño, existe un tiempo de sueño indeterminado, también denominado *de transición*. Por lo general, el recién nacido se duerme con un sueño agitado, salvo tras una violenta y larga sesión de lloros, e inmediatamente después se sume en el sueño tranquilo.

Los ciclos de sueño en el pequeño son breves. Duran 50 o 60 min y se repiten tres o cuatro veces a lo largo de un periodo de descanso medio de 3 a 4 horas seguidas. La cantidad y la calidad del sueño del bebé van variando poco a poco con el tiempo. A los 6 meses, la criatura se duerme con un sueño lento ligero, para luego sumirse en un sueño profundo, al que le sigue el sueño paradójico. Sus ciclos de sueño duran 70 min. El niño se duerme con un sueño lento y acaba la noche con un sueño paradójico.

La estructura de los ciclos cambia con la edad. Así, entre los 3 y los 10 años, cada ciclo se compone de un sueño lento ligero y luego de un sueño lento profundo, seguido de un sueño lento muy profundo en el primer ciclo de la noche (el sueño paradójico no se produce hasta el final del segundo ciclo). Cada ciclo dura entre 90 y 120 min. A los 15 años, el sueño del adolescente es como el del adulto y consta de todas las fases.

Con los años, la distribución del sueño en 24 horas va evolucionando. El descanso nocturno dura cada vez más y las cuatro siestas del niño durante el día disminuyen, de manera que pasan a tres y luego a dos cuando cumple un año. Durante el segundo año, el niño solo duerme una siesta a primera hora de la tarde. El pequeño duerme una media de 15 h diarias a los 6 meses, y a los 4 años es posible que duerma aún entre 13 y 14 h.

Cada niño presenta sus propias variantes debido a su herencia genética, pero también al transcurso del embarazo y del parto. Se sabe que los niños que tardan más en crecer necesitan dormir más que los precoces. También se hace patente que los niños delgados duermen menos que los rechonchos, y que los nerviosos suelen no tardar demasiado en vivir noches complicadas.

Función

El sueño tiene una función básica: el descanso. Se suele creer, con demasiada frecuencia, que uno duerme para recuperarse del cansancio, pero en realidad es el cuerpo, y sobre todo el cerebro, quien exige reposo para evitar estar cansado.

La reducción de movimientos y la posición horizontal favorecen la disminución del tono muscular, que permite el descanso. En el bebé, dicha disminución se produce cuando alcanza el estado satisfactorio de saciedad, ya que el pequeño se duerme casi de inmediato tras ingerir una toma. Los niños que toman el pecho y, por tanto, han de realizar un verdadero esfuerzo para mamar parecen dormirse con mayor rapidez. Cuanto más crece el niño, más se diversifican las satisfacciones: jugar, comunicarse con sus padres, adquirir la motricidad, satisfacer su curiosidad y aprender en general.

El sueño también resulta indispensable para el desarrollo del niño. La hipófisis segrega la hormona del crecimiento durante el sueño lento. Dicha hormona actúa sobre el crecimiento del cartílago de creación del hueso a través de otro factor hormonal. Estos cartílagos, situados en cada extremidad de la masa ósea, con el tiempo se transforman en huesos. Además, la actividad eléctrica cerebral que caracteriza al sueño paradójico desempeña un papel importante en la maduración del cerebro, en plena explosión neuronal.

El sueño también se considera fundamental para la adquisición y memorización de conocimientos. Al parecer, lo que se ha aprendido se recuerda mejor si va seguido de un periodo de sueño, y el éxito escolar suele estar relacionado con el mantenimiento de un buen ritmo onírico.

El sueño lento intervendría en la memorización de todo aquello que tiene que ver con la lógica, mientras que el sueño paradójico sería el de las emociones, permitiría la memorización de tareas complejas y garantizaría la memoria a largo plazo.

Por último, los sueños que se producen durante el sueño paradójico son indispensables para el equilibrio psíquico de la persona desde su más tierna edad. Gracias a los sueños, las insatisfacciones y los conflictos del día se resuelven por la noche. El sueño paradójico también parece influir en la construcción de la personalidad de cada individuo.

Malas costumbres

Sin llegar a ser totalmente inflexibles, hay que procurar en todo momento que el niño no utilice los gestos de cariño o una actitud demasiado permisiva por nuestra parte para imponer sus normas, que no siempre son las mejores para su salud.

Dar un biberón por la noche a un niño de menos de 2 meses, y sobre todo si ha sido prematuro, no es una mala costumbre. Tampoco lo es consolar a un niño que acaba de tener una pesadilla, ni dar otro beso a un niño que lo pide por segunda vez.

Sin embargo, permitir que el pequeño se duerma en la cama de sus padres o en el sofá del salón sí son malas costumbres, al igual que permitir que se duerma siempre delante de la televisión. Esperar a que el niño se haya dormido para salir de su habitación o acunarlo hasta que se duerma puede llegar a crear una dependencia muy molesta.

Medicinas alternativas

Las medicinas alternativas pueden ser una ayuda, ya que jamás serán tan agresivas como los somníferos alopáticos. Actúan sobre el sueño que favorecen, pero también sobre el estado de ansiedad que mitigan.

La más conocida es la homeopatía. Sus efectos son más beneficiosos cuanto más reciente e insólito es el insomnio que pretende combatir. Como su principio se basa en la determinación de un terreno que no es igual para todo el mundo, es preferible consultar a un homeópata. La prescripción variará según el tipo de trastorno del sueño (pesadillas, cansancio, miedo, gran sensibilidad a los ruidos, etc.).

La fitoterapia también puede resultar eficaz. Se trata del tratamiento a través de las plantas: valeriana, pasiflora, amapola, lúpulo, etc. Una vez más, se recomienda acudir a un médico especializado.

Por último, la osteopatía, cuyo principio se basa en la manipulación de los tejidos del organismo, calma sobre todo a los bebés fruto de un parto difícil. En ese caso, los huesos del cráneo del pequeño se han desplazado ligeramente y su recolocación le aportará calma, serenidad y sueño.

Móvil

Este primer juguete que se cuelga encima de la cuna tiene una doble función: adormecer al pequeño y estimularlo.

El móvil estimula al niño que no está durmiendo, gracias a sus colores, sus formas y sus reflejos, pero también lo adormece cuando está colgado en la cabecera de su cama, ya que al mirar fijamente este objeto, el pequeño se queda hipnotizado. Ese sencillo movimiento ocular le ayuda a dormirse.

Los móviles con música producen una sensación extra de bienestar, ya que emiten una música suave a modo de nana. El niño no tardará en comprender que esas notas anuncian la hora de dormir.

Necesidad

Dormir es una necesidad vital. El feto duerme, y mucho, en la burbuja caliente y protectora del útero matero. Se sume en una fase de sueño llamado paradójico, que es aquella en la que se sueña.

A los 8 meses y medio, los registros encefálicos del feto revelan que el futuro niño vive periodos de vigilia y sueño más diferenciados y que sus noches transcurren entre ciclos de sueño lento y ciclos de sueño paradójico.

Cuando se aproxima el momento del parto, estos dos tipos de sueño se equilibran en cuanto a cantidad se refiere, y ambos son de excelente calidad. El bebé coordina sus ritmos de sueño con los de su madre.

La cantidad de sueño que necesita un niño depende de su edad. He aquí un promedio de las horas que duerme un niño a distintas edades:

1 semana	16 h 30 min
1 mes	15 h 30 min
3 meses	15 h
6 meses	14 h 15 min
9 meses	14 h
12 meses	13 h 35 min
18 meses	13 h 30 min
2 años	13 h
3 años	12 h
4 años	11 h 30 min
5 años	11 h
6 años	10 h 45 min

Más tarde, las horas de sueño se irán reduciendo aproximadamente un cuarto de hora cada año que pase, hasta alcanzar las clásicas 8 horas hacia los 16-18 años. Estas cifras son meramente indicativas, ya que no existen dos niños iguales. Un niño puede superar ampliamente estas medias y tener un sueño muy variable de una noche a otra, sin que por ello resulte anormal.

Hay gente que duerme mucho y gente que duerme poco, al igual que existen personas muy comilonas y otras que no lo son tanto. Sed flexibles, respetad la naturaleza de vuestro hijo y no le impongáis unos horarios demasiado rígidos. No olvidéis tampoco que el niño, al igual que el adulto, duerme menos en verano y más en invierno.

Ritmos biológicos

La vida de cualquier ser humano, y por lo tanto del niño, se rige por una serie de ritmos. Los más conocidos son los ritmos circadianos, que, entre otras cosas, controlan el sueño mediante la alternancia de periodos de vigilia y de reposo. Suelen ir a la par con el ritmo astronómico del día y la noche.

Los ritmos ultradianos, que regulan las actividades del cuerpo durante el día y la noche, abarcan el ritmo cardiaco, el ritmo respiratorio, las secreciones hormonales y los cambios de temperatura corporal. Dividen el sueño en ciclos, y los periodos de vigilia en momentos de gran actividad física e intelectual y momentos de menor actividad.

Los ritmos infradianos, por su parte, «se balancean» al ritmo de los meses. Asimismo, existen otros muchos ritmos biológicos, sobre todo estacionales, que también influyen en la calidad del sueño. No cabe duda, por ejemplo, de que en invierno se necesita dormir más horas que en verano.

Muchos trastornos son el resultado de un desequilibrio entre estos ritmos biológicos y las exigencias del entorno y la vida social. La desincronización de estos dos «relojes» provoca fatiga, esa extraña sensación de tener los nervios a flor de piel que invade al niño cuyo horario no respeta sus «relojes internos». ¡Pero, cuidado! Que el niño esté cansado no implica forzosamente que vaya a dormir bien.

Terapia

Por desgracia, todavía resulta bastante habitual tratar de solucionar los trastornos del sueño del pequeño administrándole un medicamento que lo haga dormir de manera artificial. Por lo general, este tratamiento no soluciona el problema a largo plazo y solo sirve para que los padres, y el propio niño, pasen unas cuantas noches tranquilos.

Si un niño padece un trastorno del sueño, sus padres pueden consultar a un servicio médico especializado: las unidades del sueño. Pocos trastornos se deben a causas neurológicas o psicológicas. Por lo general, son el resultado de un mal aprendizaje y de ciertos malentendidos entre el niño y sus padres. Así pues, cuanto antes se acuda a la consulta una vez detectada la aparición del trastorno, más posibilidades tendrá el niño de curarse fácilmente. Cabe destacar que dejar pasar el tiempo en este caso no soluciona nada; más bien al contrario, ya que acentúa la crispación.

La terapia consiste en varias entrevistas. La primera se realiza con los padres y su finalidad es realizar un balance del trastorno a través de un cuestionario detallado. El cruce de los datos aportados por los padres y los proporcionados por el médico sobre las características del sueño normal infantil, según la edad del niño, permite resolver ya en ese instante unos cuantos casos.

En los casos más complicados, resulta indispensable observar detenidamente el tiempo de sueño del pequeño. El médico entrega a los padres un calendario del sueño en el que deberán realizar anotaciones durante los siguientes diez días. Anotarán en él a qué hora se acuesta el niño, a qué hora se levanta y a qué hora duerme la siesta. También cuánto duran esos sueños, los despertares nocturnos y otras manifestaciones, como las pesadillas o los terrores nocturnos.

Este documento ayudará a evaluar la importancia del trastorno y comprobar si el niño duerme las horas suficientes para gozar de buena salud. En algunos casos, el médico pide a los padres que rellenen varios calendarios a intervalos regulares.

La actimetría es otra técnica que a veces se aplica como complemento. Consiste en grabar todos los movimientos del niño a lo largo de varios días. Su análisis permite un mejor diagnóstico y conocer con mayor precisión la naturaleza de una patología determinada.

Con estos datos científicos, el médico podrá proporcionar a los padres los consejos prácticos indispensables para crear hábitos en el sueño del pequeño o para poner fin a los problemas psicológicos que le impedían dormir correctamente.

Bibliografía

Adair, R., Bauchner, H., Philipp, B., Levenson, S. y Zuckermann, B., *Night waking during infancy: the role of parental presence at bedtime,* Pediatrics, 1991.

Adair, R., Zuckermann, B., Bauchner, H., Philipp, B. y Levenson, S., *Reducing nighy waking in infancy: a primary care intervention,* Pediatrics, 1992.

Anders, T.F., *Night-waking in infants during the first year of life*, Ward Lock, Londres, 1996.

Anguera, R., Torres, M., Palencia, D., Macià, D., Costa, M. A. y Trilla, C., *Despertars nocturns en nens de 6 mesos a 6 anys i factors associats,* Pediatria Catalana, 2000.

Curell, N., Viñallonga, X., Cubells, J. M., Molina, V., Estivill, E., Ríos, J., Langue, J., *Dormir amb els pares. Prevalença i factors associats en una població de nens de 6 a 36 mesos d'edat.* Pediatr. Catalana, 1999.

Estivill, E. y de Bejar, S., *Duérmete niño,* Plaza y Janés, Barcelona, 1997.

Estivill, E., *Insomnio infantil,* Acta Pediátrica Española, 1994.

Fay, M., *Treating children with sleep disorders,* BMJ, 2000.

Ferber, R., *Solve your child´s sleep problems,* Simon & Schuster, New York, 1985.

González, Carlos, *Bésame mucho,* Ediciones Temas de Hoy, S.A., Madrid, 2003.

Jové, Rosa, *Dormir sin lágrimas: dejarle llorar no es la solución,* La esfera de los libros, Madrid, 2007.

Lozoff, B., Wolf, A. W. y Askew, G. L., *Cosleeping and early childhood sleep problems: effects of ethnicity and socioeconomic status,* J. Dev. Behav. Pediatr., 1996.

Mosko, S., Richard, C. y McKenna, J., *Infant arousals during mother-infant bed sharing: implications for infant sleep and sudden infant death syndrome research,* Pediatrics, 1997.

Pin, G., Lluch, A. y Borja, F., *El pediatra ante los trastornos del sueño,* An Esp Pediatr 1999.

Sheldon, S., *Evaluating sleep in infants and children,* De Lippincott-Raven, 1996.

Stirling, Siobhan, *El sueño infantil: guía práctica para enseñar a los niños a dormir bien*, Parramón, Barcelona, 2005.

Direcciones de interés

• Asociación española de pediatría
C/ Aguirre, 1 Bajos Derecha
28009 Madrid
Tel. 91 435 49 16
www.aeped.es

• Societat catalana de pediatria
Major de Can Caralleu, 1-7
08017 Barcelona
Tel. 93 203 03 12
http://www.scpediatria.cat

• Instituto de investigaciones del sueño
C/ Alberto Alcocer 19, 1º dcha.
28036 Madrid
Tel.: 91 345 91 29
www.iis.es/index.php

• Clínica del sueño Estivill
Institut Universitari Dexeus
Rosales 9
08017 Barcelona
Tel.: 93 212 13 54
www.doctorestivill.com/index.asp

• Unidad valenciana del sueño infantil
Hospital Clínica Quirón Valencia
Avda. Blasco Ibáñez 14
46010 Valencia
Tel.: 96 362 08 88
www.uv-si.com

• Asociación ibérica de patología del sueño
www.vigilia-sueno.org

• Asociación para la prevención de la muerte súbita en Madrid
C/ Peloponeso, 18
28032 Madrid
Tel. 91 775 52 80
www.pagina-web.de/muertesubita

Índice